2 vriendinnen, 1 ex en een droomprins

Kate Brian

2 VRIENDINNEN, 1 EX EN EEN DROOMPRINS

Vertaald door Era Gordeau

Van Goor

Voor Matt, mijn vriendje voor altijd

ISBN 978 90 475 0394 1
NUR 284
© 2008 Uitgeverij Van Goor
Unieboek BV, postbus 97, 3990 DB Houten

oorspronkelijke titel *Fake Boyfriend*
oorspronkelijke uitgave © 2007 Simon & Schuster, New York

www.van-goor.nl
www.unieboek.nl

tekst Kate Brian
vertaling Era Gordeau
omslagontwerp Marieke Oele
zetwerk binnenwerk Mat-Zet BV, Soest

I

'Wie koopt er in vredesnaam zoiets?' Vivi Swayne griste het tijdschrift *Lucky* uit de hand van haar vriendin. Het was geopend bij twee bladzijden vol met foeilelijke zwart-witte jurken die eruitzagen alsof ze uit een *Alice in Wonderland*-nachtmerrie waren weggelopen: allemaal schaakbordpatronen en belachelijke ballonrokken. Het gala was al over een maand en ze hadden geen van beiden een geschikte jurk. Maar als dit de rommel was die de wereld in de aanbieding had, vond Vivi dat ze beter af was zonder. 'Zelfs voor een weddenschap zou ik geen van die jurken aantrekken.'

'Alsjeblieft, zeg. Je hebt in je hele leven nog nooit een weddenschap afgesloten,' merkte Lane fijntjes op. Ze leunde achterover tegen de groene plastic rugleuning van de bank in Lonnies Broodjes- en Koffiezaak en nipte van haar Indiase thee. Overal om hen heen zaten groepjes leerlingen van Westmont High te kletsen, koffie te drinken en Lonnies beroemde chocoladetoetjes naar binnen te schrokken. Het helder verlichte familiebedrijf had allerlei chromen accessoires, fluorescerende lampjes en ouderwetse toonbanken en zitjes, maar toch was het gelukt om er een gezellige uitstraling aan te geven. Tijdens de ochtendspits bediende Lonnie gestreste forenzen en hun cafeïneverslaving voordat ze in de trein naar New York sprongen. Tijdens lunchtijd was het dé plaatselijke bestemming voor heerlijke broodjes. Maar 's avonds was het de favoriete ontmoetingsplaats voor de leerlingen van Westmont High: er stonden genoeg hippe koffiesoorten en lekkernijen op het menu om hun suikerbehoefte de hele avond lang te bevredigen.

'Dat is waar,' droeg Curtis Miles zijn steentje bij vanaf de overkant van de tafel en hij gebaarde erbij met een decadent ogende vork vol chocoladetaart.

Lane begon onder haar sproeten hevig te blozen en trok haar lange rode haar over haar schouder, zodat ze zich een houding kon geven door eraan te frunniken. Vivi had het leren herkennen als een nerveus gebaar – een gebaar dat meestal werd veroorzaakt door Curtis. Ze waren al buren sinds ze op driewielertjes rondreden, maar sinds een paar jaar was Lane smoorverliefd op Curtis. Curtis had echter geen flauw benul van haar gevoelens voor hem.

'Ik heb wel eens een weddenschap afgesloten!' protesteerde Vivi en ze trok Curtis' gebaksbordje naar zich toe. Ze nam een grote hap taart en schoof het bord weer terug over de tafel. 'Weet je nog die keer dat ik in tien minuten een hele bak Chubby Hubby-ijs heb opgegeten?'

'Ja, maar dat was je toch al van plan,' zei Lane.

Vivi zakte een beetje in elkaar. 'Oké, goed. Ik vind het niet fijn als andere mensen me vertellen wat ik moet doen. Dat is geen nieuws.' Vivi vouwde haar lange benen onder zich op de bank. Ze gooide het tijdschrift opzij, pakte haar zwart-witte koekje en nam een hap uit het witte gedeelte. Ze leunde weer achterover, installeerde zich naast Lane op de bank en bewoog haar hoofd net zolang tot ze een comfortabele houding gevonden had, waarbij het elastiekje dat haar dikke blonde paardenstaart bij elkaar hield niet in haar achterhoofd prikte. 'Waar blijft Isabelle toch?'

Isabelle en Vivi waren al beste vriendinnen sinds ze in groep één naast elkaar zaten en toen ze in de middenbouw Lane en Curtis hadden leren kennen, waren ze samengesmolten tot een perfect viertal. Ook al trok Curtis niet meer altijd met hen op, toch konden ze het nog altijd heel goed met elkaar vinden. Ze hadden Izzy beloofd dat ze bij elkaar zouden komen om te praten over het gala, aangezien ze er, uiteraard, met z'n allen naartoe zouden gaan. 'Je hebt haar toch wel verteld dat het bij Lonnie was? Niet bij Starbucks?'

'Waarom zouden we met haar afspreken bij Starbucks? We gaan nooit naar Starbucks. Het is een slechte tent,' zei Curtis en hij keek door het raam woest naar de nieuwe zaak die afgelopen winter aan de overkant van de straat geopend was.

'Alsjeblieft, zeg. Je bent verslaafd aan hun Frappuccino's,' schimpte Vivi.

'Ze maken vet lekkere Frappuccino's,' beaamde Curtis en hij staarde in zijn simpele kop koffie.

'Curtis! Hou op!' Vivi stompte tegen zijn arm. 'Lonnie staat dáár.'

Ze keken allemaal naar de oudere eigenares, die achter de toonbank stond. Het leek wel of ze in haar zaak woonde. Op dit moment stond ze wisselgeld uit te tellen voor Kim Wolfe, een van hun klasgenoten. Kim was normaal gesproken rumoerig en ongelooflijk vervelend. Nu wachtte ze, terwijl ze bellen blies van haar kauwgum, geduldig tot Lonnie één voor één haar munten uitgeteld had. Iedereen had geduld met Lonnie. De vrouw was een instituut.

'Ze kan ons heus niet horen,' zei Lane, zachter nu.

'Ze zet haar gehoorapparaat altijd zachter als het zo bv is als nu,' voegde Curtis eraan toe en hij veegde zijn weelderige bruine krullen voor zijn grote bruine ogen vandaan.

'BV?' vroeg Vivi ongeduldig.

'BomVol,' zei Curtis schouderophalend.

'Oké, dat hele afkortingengedoe is meer dan irritant,' deelde Vivi hem mee.

'Vertel me hoe je je echt voelt,' pareerde Curtis en hij fatsoeneerde zijn haar opnieuw.

Precies op dat moment ging de buitendeur open en kwam Isabelle Hunter, het onmisbare vierde groepslid, binnen. Izzy zag er zoals altijd perfect uit, met een roze coltrui, een strakke spijkerbroek en zwarte enkellaarsjes. Haar cacaokleurige huid had geen oneffenheden, haar steile haar werd door een witte haarband naar achter gehouden en in haar oren schitterden diamantjes.

'Hoi! Jullie zullen me zo'n schat vinden!' riep ze opgewonden, terwijl ze zich naar hun tafel haastte. Ze smeet een roze map op tafel met op de kaft in grote glitterletters het woord GALA.

'Eh, weet je zeker dat je dat ding in het openbaar tevoorschijn wilt halen?' vroeg Vivi, terwijl Izzy naast Curtis schoof. Het was Izzy's beruchte Galaplanner, waaraan ze al sinds de derde klas werkte.

'Ehm ja, ik weet het zeker. Want er zit iets in…' Isabelle bladerde door de vele kleurrijke, beduimelde bladzijden vol met jurken, bloemen, limo's, sieraden, schoenen, tassen en andere willekeurige foto's die ze door de jaren heen uit tijdschriften had geknipt, en ze trok een geel papier tevoorschijn. 'Tadaaa!' riep ze enthousiast en ze hield het met een grote grijns omhoog. 'Eén kwitantie voor een witte Mercedes stretch limo!'

'Wat?' riep Vivi ademloos en ze griste het papier uit Izzy's hand.

'Ik heb hem vanmiddag geboekt. Hij is perfect en helemaal voor ons alleen,' zei Isabelle opgewonden. 'Er kunnen vier stelletjes in, dus we passen er allemaal in!'

'Iz, dit is helemaal DOVOP!' zei Curtis.

'De oplossing voor onze problemen?' raadde Isabelle.

Vivi zag het huurbedrag onder aan de bladzijde en floot zachtjes. 'Ehm, Iz? Dit bedrag is zo hoog als de Mount Everest.'

'Het is al betaald,' wuifde Isabelle het bezwaar weg. 'Ik heb van mijn grootouders geld gekregen voor mijn diploma en dat was ongeveer vier keer zoveel als ik verwacht had.'

'Dat meen je niet,' zei Lane. Isabelles opa, een voormalig topbasketballer, gaf zijn kleinkinderen altijd onbehoorlijk grote cadeaus. 'Isabelle, dat is niet te geloven.'

'Wil je in dat geval ook mijn smoking betalen?' grapte Curtis en hij dronk met grote slokken zijn koffie op.

'Waarom niet? Ik heb die van Shawn ook betaald,' zei Isabelle en ze pakte Lanes ongebruikte vork en viel aan op de taart van Curtis.

Lane, Vivi en Curtis keken elkaar verontrust aan. 'Nee toch,' zei Vivi.

Isabelle haalde haar schouders op. 'Zo doen mensen dat in een volwassen relatie, Vivi,' antwoordde ze op de toon van een kleuterjuf.

'Ja, of als ze een relatie hebben waarin de ene persoon misbruik maakt van de ander,' mompelde Vivi. Isabelle negeerde het commentaar, zoals gewoonlijk.

Vivi was echter officieel geïrriteerd. Isabelle was degene die de afscheidsspeech van hun klas zou houden, ze was aanvoerder van het meisjesbasketbalteam van de school; ze dronk, rookte of vloekte nooit en ze had onlangs een onderscheiding gekregen van de burgemeester van hun kleine stad in New Jersey vanwege haar vrijwilligerswerk voor 'Meals on wheels'.

Ze was al vroeg aangenomen op de Stanford University. Ze was het kroonjuweel van de klas. Haar vriendje, Shawn Littig, was echter de sukkel van de klas. Shawn kwam voortdurend te laat, spijbelde om een sigaretje te roken en was brutaal tegen de leraren, alleen maar om te laten zien dat hij dat durfde. Iedereen wist dat hij een loser was, maar Isabelle bleef volhouden dat hij niet begrepen werd en dat niemand Shawn kende zoals zij hem kende. Helaas had Vivi het gevoel dat het juist andersom was: iedereen op de wereld kon Shawn lezen als een open boek – een waardeloze roman voor in de koopjesbak, om precies te zijn – maar hij had Isabelle volledig in zijn macht.

'Hij heeft net al zijn geld in een auto gestoken, daarom is hij helemaal blut,' legde Isabelle uit. 'En mijn date gaat niet naar het gala in een spijkerbroek en een t-shirt.'

'Tja, dan had hij moeten sparen. Iedereen weet hoe belangrijk het gala voor jou is,' zei Vivi. 'Of is hij de enige die nog niet stap voor stap een rondleiding heeft gekregen door dat daar?' vroeg ze met een hoofdbeweging naar het galaboek.

'Hé, praat niet zo oneerbiedig over mijn boek,' wees Isabelle haar terecht en ze legde met een beschermend gebaar haar hand op de omslag. 'En ja, hij heeft het bekeken. Hij heeft zelfs precies de smoking gekregen die ik voor hem had uitgezocht in het galanummer van Teen Vogue voor de bovenbouw,' voegde ze er trots aan toe. 'Nu we het er toch over hebben: heeft Jeffrey al een smoking gehuurd?'

Vivi haalde diep adem. Ze had gehoopt deze conversatie te kunnen vermijden, maar ze had beter moeten weten. 'Ehm… Jeffrey en ik hebben het min of meer uitgemaakt.' Vivi wreef over een willekeurige korstige vlek op het groene vinyl.

'Wat? Wanneer?' vroeg Isabelle meelevend.

'Wist jij dat?' vroeg Lane aan Curtis, terwijl ze hem over de tafel heen tegen zijn arm stompte.

'Eh… ik heb Jeff vanmorgen gesproken,' antwoordde Curtis, over zijn arm wrijvend. Hij zag er betrapt uit.

'Waarom heb je me niets verteld?' wilde Lane weten.

'Hallo, ik ben een jongen. We hebben een code.' Curtis rolde met zijn ogen.

'Vivi, wat is er gebeurd?' viel Isabelle hen in de rede. 'Ik dacht…'

Vivi stak haar hand op en haar vrienden zwegen meteen. 'We hebben het gisteravond uitgemaakt. Het geeft niet. Het moest er toch van komen.'

Ze brak het donkere gedeelte van haar koekje af, brak het doormidden en schoof het stuk in haar mond. Terwijl ze dat deed, keek ze naar buiten, in de hoop dat het onderwerp snel afgehandeld zou zijn. Aan de overkant van de straat puilde Starbucks uit van de onderbouwleerlingen en de vierdeklassers die nog niet cool genoeg waren om de subtiele allure van Lonnie te begrijpen.

'Vivi, wat is er gebeurd? Waarom heb je niet gebeld?' vroeg Lane.

'Gaat het wel?' deed Isabelle een duit in het zakje.

'Het gaat goed met me,' zei Vivi met haar mond vol koek. 'We hebben maar ongeveer drie weken verkering gehad. Het betekent niet het einde van de wereld.'

Natuurlijk kon ze hun de waarheid niet vertellen. Jeffrey had haar verteld dat hij haar graag mocht, maar hij had ook gezegd dat het behoorlijk duidelijk was dat ze hem niet aardig vond. Iedere jongen met wie Vivi op de middelbare school verkering had gehad, had ongeveer hetzelfde gezegd – of een variatie daarop.

'Hij heeft het uitgemaakt, hè?' zei Lane zacht. Toen Vivi geen antwoord gaf, kreunde ze.

'Viv, ik heb je toch gezegd dat als je zo op hem bleef afgeven…'

Vivi zuchtte. Ze hadden dit gesprek al tien miljoen keer gevoerd. Daniel Lin was in de derde klas Vivi's vriendje geweest. Ze hadden maanden verkering gehad en Vivi was gek op hem geweest. Hij was slim, grappig, cool, sportief en voor een derdeklasser erg attent. Hij had alles wat ze zich ooit in een vriendje had kunnen wensen. Maar op een dag maakte hij het zomaar met haar uit voor een ander meisje en Vivi was verpletterd geweest. Maar ze was eroverheen gekomen en Daniel was verhuisd en dat was dat. Vivi vond het tamelijk belachelijk dat haar vrienden dachten dat deze ene gebeurtenis invloed had op iedere relatie die ze ooit had gehad. Ze dacht nooit meer aan Daniel, behalve wanneer Lane en Izzy hem ter sprake brachten. Nou ja, bijna nooit meer.

'Kunnen we alsjeblieft over iets anders praten?' vroeg Vivi en ze keek weer nadrukkelijk naar buiten. Meteen schrok ze zo dat ze haar koekje liet vallen. Het kon niet waar zijn dat ze zag wat ze zag. Onmogelijk. Ab-so-luut on-mo-ge-lijk. Onder de tafel schopte ze Curtis en ze maakte een hoofdbeweging in de richting van Starbucks.

Curtis keek naar buiten en zijn ogen werden zo groot als schoteltjes. 'O, nee toch,' zei hij.

'Wat is er?' vroeg Isabelle en ze keek ook.

'Isabelle, niet doen!' zei Vivi automatisch. Ze was bang dat ze zou gaan hyperventileren. Shawn Littig, de jongen met wie Isabelle al sinds de eerste klas af en aan verkering had gehad, de jongen op wie ze zo verliefd was dat ze op de een of andere manier geen oog had voor het feit dat hij een totale griezel was, was zojuist Starbucks uit gekomen met zijn arm om Tricia Blank heen – een tweedeklasser die haar imitatie van een ordinaire wannabe-modepop zwaar overdreef. Op dit moment duwde hij haar tegen de bakstenen muur van het gebouw en drong met zijn tong zo diep haar keel binnen dat ze waarschijnlijk zou stikken.

Izzy had het allemaal zien gebeuren. Haar gezicht werd bleek en achter uit haar keel kwam een geluid alsof ze het benauwd had.

'O, nee toch,' zei Lane, die eindelijk begreep wat er aan de hand was. Ze keek bezorgd naar Isabelle. 'Iz, het is…'

'Nee. Nee, nee, nee, nee, nee, nee, nee,' brabbelde Isabelle.

Ze stoof overeind en rende naar buiten. Heel even was Vivi te verbijsterd om zich te kunnen bewegen. Toen sprongen zij, Lane en Curtis allemaal op en renden achter haar aan. Isabelle stormde naar de hoek van de straat, waar het avondverkeer zich lui voortbewoog.

'Shawn!' gilde Isabelle zo hard als ze kon.

Aan de overkant van de straat sprong Shawn bij Tricia vandaan. Isabelle keek snel naar links en naar rechts, stelde kennelijk vast dat de jeep die eraan kwam haar niet zou aanrijden en stortte zich in het verkeer.

'Isabelle!' krijste Vivi. Ze duwde haar handen in de zakken van haar groene jack en rende haar vriendin achterna.

Curtis rende Vivi voorbij en stak zijn hand op om het verkeer te stoppen. De jeep remde en kwam piepend tot stilstand.

'Waar ben je in vredesnaam mee bezig?' schreeuwde de bestuurder.

'Sorry! Dit is een crisis,' zei Curtis. Hij wenkte Vivi en Lane de straat over en liep toen snel achter hen aan.

'Wat doe je daar?' riep Isabelle. Alle jongeren op het trottoir stonden stil om haar aan te gapen.

Shawn deinsde terug voor Tricia alsof ze in brand stond en keek om zich heen, op zoek naar een ontsnappingsroute. Vivi kon alleen maar hopen dat hij langs haar zou proberen te ontsnappen. Dan kon ze hem recht in zijn irritante, verhitte gezicht stompen.

'Isabelle!' zei Shawn stomverbaasd.

'Alsjeblieft, zeg. De halve school is hier,' flapte Vivi er met gebalde vuisten uit. 'Dacht je nou echt dat je niet gesnapt zou worden?'

'Wegwezen,' snauwde Shawn tegen Vivi. 'Bemoei je er niet mee.'

Vivi klemde haar kaken op elkaar en kookte van woede.

'Wat is er aan de hand?' vroeg Isabelle beverig.

Shawn keek smekend naar Isabelle. 'Liefje… kunnen we niet ergens heen gaan en erover praten… alleen jij en ik?'

'Hé!' protesteerde Tricia en ze sloeg haar magere armen om haar weinig verhullende topje. 'Je zei dat je het met haar had uitgemaakt.'

Vivi's hart brak toen ze zag dat er tranen in Isabelles ogen kwamen. 'Wat? Shawn… maak je het uit met mij?'

Shawn keek rond en leek te begrijpen dat hij hier niet aan kon ontsnappen. Hij keek naar de grond, waardoor zijn donkere haar voor zijn ogen viel en schudde zijn hoofd. 'Het spijt me, Iz… Ik heb nu verkering met Tricia.'

'Met haar? Met háár?' zei Isabelle verdwaasd. 'Hoe lang al?'

'Ongeveer een maand,' zei Tricia voldaan; ze sloeg haar arm om Shawns middel en vlijde zich behaaglijk tegen hem aan.

'De afgelopen…' Isabelle wankelde enigszins, alsof ze tegen haar knieën geschopt werd.

Alle lucht werd uit Vivi's longen geperst. Ze stapte naar voren en sloeg haar arm om Izzy's schouders. Haar vriendin begon te schokken, terwijl er tranen over haar gezicht stroomden.

'Iz, alsjeblieft…' zei Shawn en hij maakte zich los uit Tricia's greep. 'Ik wilde je geen pijn doen. Ik…'

Vivi keek Shawn woedend aan. 'Ga weg. Nu,' siste ze tussen haar tanden door.

Shawn lachte smalend. 'Jullie kunnen mij niet vertellen wat ik moet doen.'

'Volgens mij deden we dat juist wel,' zei Curtis. Hij stapte tussen Shawn en de meisjes en ging vlak voor Shawn staan.

Shawn was hem met tien centimeter en vijftien kilo de baas, maar Curtis toonde geen angst. Shawn hief zijn handen op en liep achteruit. Lafaard. Vivi wist dat hij blij was met deze vrijgeleide, zodat hij het probleem niet onder ogen hoefde te zien. Net als al die andere keren dat hij het had uitgemaakt met Izzy – via brief, e-mail, sms of een berichtje op haar voicemail.

Het gebeurde altijd op de lafste manier die je kon bedenken. En toch nam Isabelle hem altijd terug. Iedere keer opnieuw. Ongeacht wat er gebeurd was.

Maar misschien ging dat nu wel veranderen. Deze keer kón Izzy hem niet vergeven. Deze keer had hij haar écht bedrogen en de halve school was er getuige van.

'Isabelle, gaat het wel?' vroeg Lane, toen Shawn en Tricia in de richting van de antieke Corvette liepen, die verderop in de straat geparkeerd stond.

'Hij bedriegt me al een maand!' zei Isabelle verbijsterd, terwijl ze Lane in de armen viel en zich aan haar lichtblauwe trui vastklampte. 'Een maand! Hoe kan dat nou?'

'Ik weet het, Iz. Ik vind het zo erg voor je,' zei Lane en ze aaide over haar haar.

Vivi keek rond naar de brugklassers en de tweedeklassers, die nog steeds rustig stonden toe te kijken en zo goed mogelijk probeerden af te luisteren. Ze staarde nadrukkelijk naar de toeschouwers en trok Izzy zachtjes weg, terug naar de straat.

'En nog wel met Tricia Blank!' raasde Isabelle. 'Zij is een… een…'

Gore bitch? Kaasbom? Makkelijke McSlet? dacht Vivi.

'…tweedeklasser!' jammerde Isabelle.

Lane fronste meelevend. 'Dat weten we, Iz.'

'Het komt wel goed.' Vivi legde haar hand op de schouder van

15

haar vriendin. Haar hart deed pijn. Erger dan het gisteravond pijn had gedaan toen Jeffrey haar dumpte. Dit was Isabelle. Haar beste vriendin sinds de basisschool. Izzy's hartzeer had meer effect op Vivi dan dat van haarzelf. 'Kom op. We gaan hier weg,' zei ze.

'Ik haal onze spullen wel op en kom dan naar jullie toe,' zei Curtis en hij rende naar Lonnies Broodjes- en Koffiezaak.

'We gaan terug naar mijn huis en… ik weet niet… bedenken een wraakactie,' zei Vivi troostend. 'Samen moeten we toch wel in staat zijn een voodoopop in elkaar te flansen,' grapte ze, in een poging de stemming te verbeteren.

Isabelle lachte hikkend en knikte door een nieuwe vloed van tranen. 'Oké.'

Vivi had het gevoel dat ze op dit moment alles goed gevonden zou hebben.

'Geen zorgen, Iz,' zei Lane, toen ze de straat uit liepen, op weg naar Vivi's auto op de parkeerplaats. 'Alles komt goed.'

'Ja, dat is zo, want als de voodoopop niet werkt, dan ga ik naar hem toe en geef ik hem een pak slaag. Geloof me,' zei Vivi grimmig. 'Het is de laatste keer dat die idioot jouw hart gebroken heeft.'

2

Pak het dienblad voorzichtig op. Leg het wisselgeld op het blad.
Laat het wisselgeld niet vallen. Laat… het wisselgeld…

Lane slaagde erin om de munten en bankbiljetten uit haar
zwetende handpalm op het dienblad met haar lunch te leggen,
zonder het hele geval op de grond te laten vallen. Ze haalde opgelucht adem en lachte naar de kantinemedewerkster. De
vrouw keek of ze op het punt stond de schoolpsycholoog te bellen.

Lane glimlachte verontschuldigend en stapte uit de rij.

'En toen begon mijn vader, zomaar ineens, van: "Als je niet
allemaal achten en negens op je eindlijst hebt, ga je niet op
kamp",' babbelde Curtis tegen haar, terwijl hij naar de kassa
liep. 'Zeg nou zelf, dat slaat toch nergens op? Ik ben dit jaar nota
bene klassenvertegenwoordiger.'

Zoals altijd was hij zich totaal niet bewust van Lanes buitengewoon grote stress – die geheel door hemzelf veroorzaakt
werd. Het was min of meer Lanes levensdoel om niets gênants
te doen waar Curtis bij was. Zolang ze dat kon voorkomen,
dacht ze, kon haar droom dat hij op een dag zou ontwaken en

zou beseffen dat ze voor hem de enige ware was, ooit uitkomen. Ze wist dat de logica hiervan aan een dun draadje hing, maar ze moest zich toch ergens aan vastklampen.

'Vind je ook niet?' vroeg Curtis.

'Wat? O, ja,' antwoordde Lane, zonder te weten waar ze het mee eens was.

'Dus nu zit ik, zeg maar, behoorlijk met mijn handen in mijn haar. Ga maar na: ik ga nooit een acht voor wiskunde halen. Lazinsky is een mispunt, hij geeft ons veel te veel huiswerk op,' ging Curtis verder. Hij betaalde zijn lunch, stopte het wisselgeld in zijn broekzak en pakte zijn dienblad met één hand op. Hij had er kennelijk geen problemen mee. 'Over een maand is het examen al. Is hij een sadist of zo?'

'Je zou het ook níét kunnen maken,' stelde Lane voor.

'Heb je wel naar me geluisterd? Ik moet een acht halen, anders mag ik van de zomer niet op kamp. Ik móét het wel doen,' zei Curtis tegen haar, terwijl ze door de kantine liepen. Lane keek hem even vanuit haar ooghoek aan en glimlachte. Het was misschien gek, maar ze hield ervan hoe hij er in dit licht uitzag. De gouden vlekjes in zijn ogen leken helderder en de zon liet de rode gloed in zijn krullende bruine haar oplichten. Ze zou er veel voor over hebben om hem midden in de kantine te mogen schilderen. Het zou haar absolute meesterwerk worden. Met gemak het beste wat ze dit jaar gemaakt had. Als ze hem maar zover kon krijgen dat hij...

'Nou, doe je het?'

Lane stond plotseling stil en daardoor gleed haar frisdrank bijna van haar blad af. Gelukkig greep Curtis het flesje nog net op tijd.

'Oeps. Dat ging net goed,' zei hij met een grijns. Er was een heel klein stukje van zijn voortand afgebroken, door een skateboardongelukje eerder dat jaar. Hij ging er altijd met zijn tong overheen als hij zich heel erg concentreerde. Het stond ontzettend schattig.

'Doe ik wat?' vroeg Lane, terwijl ze het blad op haar heup zette. Nerveus trok ze haar haar over haar schouder.

'Me helpen. Met wiskunde. Na schooltijd,' zei Curtis op een toon waaruit overduidelijk bleek dat hij alles al had uitgelegd.

Lane was van plan om de middag door te brengen in het tekenlokaal om haar profielwerkstuk af te maken. Eerlijk gezegd had ze zich er nogal op verheugd. Ze had zelfs nieuwe liedjes op haar iPod gedownload om inspiratie op te doen. Maar Curtis stond naar haar te kijken met zijn grote hondenogen en aan dat gezicht kon ze geen weerstand bieden.

'Tuurlijk. Zullen we na het achtste uur bij de tribunes van de sportvelden afspreken?' zei ze en ze trok weer aan haar haar.

Curtis grijnsde. 'Wat moest ik toch zonder jou?'

Ik heb geen idee. Maar op dit moment moet je mij zoenen, dacht ze. Daar bloosde ze van en ze draaide zich om en liep naar hun tafel in de kantine.

Ze zaten altijd op dezelfde plek, direct naast de glazen deuren naar het terras, die op een prachtige lentedag als vandaag altijd openstonden om de warme, zoet geurende lucht binnen te laten. Lanes knieën knikten een beetje na wat er gebeurd was en ze was dan ook erg opgelucht toen ze eindelijk op een stoel kon gaan zitten. Helaas was de stemming aan tafel niet erg vrolijk. Isabelle zat, net als de hele afgelopen week, ineengedoken op haar stoel en prikte lusteloos met haar vork, terwijl Vivi treurig naar haar zat te kijken. Hier moest een einde aan komen. Lane had haar vriendin nog nooit zo lang achter elkaar depressief gezien. In de meeste gevallen had ze het nu alweer bijgelegd met Shawn – niet dat Lane wilde dat dát gebeurde. Ze wilde dat ze iets kon bedenken om Isabelle op te vrolijken.

'Hallo luitjes!' zei Lane vrolijk.

'Hoi.' Isabelles stem was bijna onhoorbaar.

'Hoe gaat het?' vroeg Curtis en hij schudde zijn chocolade-melk. Hij keek hoopvol naar de meisjes, net als hij de hele week al had gedaan. Lane wist dat hij erop zat te wachten dat ze zich eroverheen zouden zetten. Curtis was een goede vriend, maar hij had geen verstand van de noodzakelijke rouwperiode na het einde van een hechte relatie.

'Slecht,' antwoordde Isabelle fluisterend en ze staarde luste-loos uit het raam.

Curtis zuchtte, haalde zijn schouders op en nam een frietje. Lane zag dat hij uit zijn ooghoek naar Isabelle keek en ze wist dat hij een manier probeerde te bedenken om haar op te vrolij-ken. Daardoor hield ze nog meer van hem.

De deur van de kantine ging open en Lane en Vivi keken al-lebei automatisch op, iets wat iedereen doet als iemand wat la-ter binnenkomt. Het was Tricia Blank en ze had een zeer beken-de zwarte trui aan. Lanes gezicht werd helemaal warm en ze keek naar Vivi. Meteen zag ze dat Vivi hem ook herkende. Ze hadden tenslotte maar liefst een uur in hete, overvolle kerstwin-kels doorgebracht om Isabelle te helpen met uitzoeken. En daarna nog een halfuur om haar te helpen met het uitzoeken van het perfecte mannelijke cadeaupapier.

'O, dit geloof je toch niet…' gromde Vivi tussen haar opeen-geklemde kaken.

'Wat?' vroeg Isabelle en ze keek om. Lane had het niet voor mogelijk gehouden, maar terwijl ze naar haar keek, werd Izzy's gelaatskleur nog bleker dan hij al was. 'Wacht eens. Is dat de…?'

'De trui die jij met kerst voor Shawn gekocht hebt?' siste Vivi hoofdschuddend.

Isabelle keek naar de tafel waar Shawn met de rest van zijn vrienden zat – lui die dachten dat ze op anarchisten leken om-dat ze beledigende t-shirts droegen en pakjes sigaretten in hun achterzak hadden. Shawn maakte onmiddellijk oogcontact met Isabelle, alsof hij een Izzyradar had, keek toen naar Tricia, die druk stond te praten en te lachen met een paar van haar vriendinnen. In een oogwenk was hij van zijn stoel; hij liep recht op Isabelle af tot hij naast haar stond.

'Belle,' zei hij, met pijn in zijn blauwe ogen.

'Heb je haar mijn trui gegeven?' zei Isabelle met verstikte stem.

'Nee. Ik zweer het je. Ze moet hem uit mijn kast gehaald hebben,' zei Shawn smekend. Alsof Isabelles gevoelens hem interesseerden. Alsof hij ook maar een greintje geweten had.

'Is ze in je kamer geweest?' jammerde Isabelle bijna.

Shawn stak zijn handen in de zakken van zijn spijkerbroek en keek rond naar de anderen. 'Belle, kunnen we alsjeblieft even praten?'

'Noem me geen Belle,' zei Isabelle triest.

'Goed. Het spijt me. Je hebt gelijk. Kunnen we... alsjeblieft?'

'Oké,' zei Isabelle en ze stond op.

Ze liep met Shawn naar de andere kant van de tafel, bij de open deuren.

'Ongelooflijk,' zei Vivi en ze schudde haar hoofd zo heftig dat haar slordige blonde knoet uit elkaar viel tot een paardenstaart. 'Ik kan er met mijn verstand niet bij dat ze toch met hem praat.'

Ze stond rustig op en liep om de tafel heen naar de snoepautomaten bij de muur – ongeveer een meter verwijderd van de plek waar Izzy en Shawn nu stonden.

'Vivi!' siste Lane.

Vivi draaide zich om en wierp haar een dreigende blik toe, die betekende dat ze haar mond moest houden. Lane gaf het op en wijdde zich weer aan haar eten. Ze kon beter niet met haar in discussie gaan. Vivi zou toch doen waar ze zelf zin in had.

Bij de snoepautomaten gaf Vivi een overtuigende voorstelling. Ze haalde wat wisselgeld uit haar zak en deed alsof ze volkomen in de war raakte door de ontelbare keuzemogelijkheden aan snoep. Ondertussen praatten Shawn en Izzy gewoon door, te verdiept in hun conversatie om door te hebben dat ze afgeluisterd werden. Uiteindelijk toetste Vivi agressief een getal in, greep haar Twix-reep en stormde terug naar de tafel. Ze rukte haar stoel naar achteren en plofte er kwaad op neer.

'Oké, die vent moet politicus worden,' zei Vivi. 'Hij is een en al geslijm.'

'Waarom? Wat is er aan de hand?' vroeg Curtis, die eindelijk enthousiast werd over de soap.

'Allereerst zei hij dat hij nog steeds om haar geeft en dat altijd zal blijven doen,' schamperde Vivi. 'En dat hij de trui die zij hem heeft gegeven, nooit aan een ander meisje zou geven.'

'Nou, dat is in elk geval mooi, toch?' vroeg Curtis, alvorens zijn chocolademelk in één teug op te drinken.

Vivi rolde met haar ogen. 'Daarna vertelde hij haar dat ze door moet gaan met haar leven. Dat ze te goed voor hem is en dat ze een betere partij kan vinden,' fluisterde ze woedend.

Lane snoof. 'Tja, daar heeft hij in elk geval gelijk in.'

'Dat wel, maar hij bedoelt dat niet serieus. Hij wist dat ze dat zou ontkennen, wat ze natuurlijk volledig deed. "Ik begrijp niet waarom je zo hard bent tegenover jezelf. Ik hou van je, dat weet je toch",' zei ze met een perfecte imitatie van Isabelles stem. 'Hij laat haar voortdurend bungelen. Ik zweer dat ik zomaar…' Ze balde haar handen tot vuisten en kreunde van frustratie.

'Oké, oké. Rustig maar,' zei Lane en ze legde haar hand op die van Vivi.

'Ze mag hem niet terugnemen,' zei Vivi hoofdschuddend. 'Ze kan niet in de rij gaan staan achter Tricia Gore Bitcho Blank. We moeten tussenbeide komen. Haar met iets bedreigen.'

Lane rolde de verpakking van een rietje om haar vinger en lachte. 'Met wat bijvoorbeeld?'

'Ik weet het niet… misschien moeten we haar vertellen dat we haar vrienden niet meer willen zijn! Haar buitensluiten,' verklaarde Vivi. 'Onmogelijke liefde, net als op die dvd waar we in de tweede naar gekeken hebben.'

'Ehm… Isabelle is niet aan de drugs verslaafd,' merkte Lane fijntjes op.

'Nee, maar ze is wel aan Shawn verslaafd,' pareerde Vivi.

De moed zonk Lane in de schoenen. Dat meende Vivi niet. In elk geval hoopte Lane dat ze het niet meende. Want als Vivi een plan opvatte, beet ze zich er meestal in vast. En bovendien zorgde ze ervoor dat alle anderen zich er ook in vastbeten.

'Dat kunnen we niet doen,' zei Curtis, terwijl hij de lege chocolademelkverpakking verfrommelde. 'Dat is veel te gemeen. En bovendien, geen van ons zou dat kunnen volhouden.'

Vivi's gezicht betrok en ze zakte onderuit. 'Je hebt gelijk. Maar we moeten wel iets doen om haar bewust te maken van het feit dat ze deze sukkel niet nodig heeft,' zei ze en ze wierp een blik in hun richting. Lane zag dat Isabelle knikte om iets wat Shawn zei en die aanblik maakte haar gespannen.

Ze schudde haar hoofd. 'Isabelle is veel te goed voor hem. Als ze weer naar hem teruggaat, wordt dat een grote ramp.'

Curtis knikte met volle mond.

'Goed. In elk geval zien we dat allemaal in,' zei Vivi en ze klemde haar kaken vastberaden op elkaar. Ze trok haar voeten met gympen en al op de stoel en legde haar kin op haar knieën. 'Nu moeten we nog een manier bedenken om het háár te laten inzien.'

'Denk je echt dat zo'n werk-aan-je-zelfvertrouwen-filmavond gaat helpen?' vroeg Lane, terwijl ze de stapel dvd's die Vivi gehuurd had, doorzocht.

'Het is maar een voorlopig plan. Totdat ik op de proppen kom met het echte plan,' zei Vivi en ze zette een gigantische schaal popcorn op de tafel in haar kelder.

De deur van de kelder ging open. 'Hallo liefje, ik ben thuis!' zong Vivi's moeder lollig, terwijl ze de trap af stommelde.

Ze droeg een van haar kleurigste sjaals om haar hoofd en haar krullende blonde haar stak er aan beide kanten van haar hoofd in twee perfecte driehoeken uit, van haar oren tot haar schouders. Megagrote houten monsterlijkheden bungelden aan haar oorlellen en haar make-up was nog uitbundiger dan anders. Zoals gebruikelijk had haar moeder die avond groots uitgepakt voor de party van haar werk. Het was een van de gevaren van haar werk in het streektheater, dat het Starlighttheater heette. Ze stond kennelijk onder grote druk om er zo excentriek en zigeunerachtig mogelijk uit te zien.

'Ik dacht dat jullie wel trek zouden hebben in iets lekkers!' Ze hield een bruine zak vol vetvlekken omhoog. 'Restjes van het feest van de acteurs!'

'Oooh! Ik wist wel dat ik niet voor niets van je hou.' Vivi graaide de zak uit haar moeders hand. Er zat een stapel witte afhaalbakjes in met doorzichtige plastic deksels. Minihotdogs, miniquiches en miniloempia's. Ze trok de deksels eraf en begon het eten op tafel uit te stallen.

'Hallo, mevrouw Swayne,' zei Lane en ze ging staan. Ze liep om de tafel heen en gaf Vivi's moeder een knuffel.

'Hallo, schat,' riep Vivi's moeder opgetogen. 'Wat gaan jullie doen? Filmavond? Hebben jullie iets goeds?' Ze inspecteerde de verzameling films. 'O! Kate Winslet! Ik vind haar geweldig. De actrice die in mijn productie van *Twelfth Night* van Shakespeare optrad, deed me enorm aan haar denken.'

'Cool, mam. En we willen er graag alles over horen. Echt waar. Maar Isabelle kan elk moment binnenkomen, dus…' Vivi liep op haar moeder af en begeleidde haar terug naar de trap.

'O. Oké. Nou, als jullie iets nodig hebben…'

'Nee, dank je,' zei Vivi en ze klopte haar moeder op de rug. 'Maar bedankt voor het lekkers.'

De schouders van haar moeder zakten naar beneden en haar honderden plastic armbanden rinkelden. 'Oké. Dus. Ik ben boven.'

'Doei!' Vivi bleef glimlachen totdat haar moeder weg was, draaide zich daarna om en sloeg haar ogen ten hemel. Ze stak haar handen in de zakken van haar te grote sweater met capuchon en plofte op de bank neer.

'Ik snap niet waarom je zo gemeen tegen haar doet,' zei Lane met een zucht, terwijl ze een hap nam van een minihotdog.

'Lane, je weet dat ze hier de hele avond blijft zitten als ik haar er niet uit schop,' zei Vivi en ze pakte een quiche van een van de borden. 'Ze denkt dat ze een van ons is.'

'Ze is in elk geval cooler dan mijn moeder,' zei Lane en ze maakte een hoge paardenstaart in haar haar.

Vivi lachte. 'Ik zou er alles voor over hebben om jouw moeder te hebben.'

Lanes moeder werkte als styliste voor een gigantisch mediaconcern in New York. Ze was stijlvol, beschaafd en bemoeide zich nergens mee. Ze was, met andere woorden, precies het tegenovergestelde van *drama queen* Sylvia Swayne.

'Oké, mocht ik haar ooit spreken, dan zal ik haar vertellen dat je dat gezegd hebt,' merkte Lane droog op.

De bel ging en Vivi en Lane sprongen tegelijk op. 'Eindelijk!'

'Ik ga wel!' schreeuwde Vivi naar boven.

Met Lane achter zich aan klauterde ze de trap op en gleed op haar sokken door de gang. Maar toen ze daar aankwam, was haar jongere broer Marshall al met Isabelle in gesprek. Die stond hem bij de voordeur onzeker aan te kijken, zoals de meeste mensen naar Vivi's boekenminnende broer met zijn bleke gezicht keken. Zijn blonde haar werd, zoals altijd, uit zijn gezicht gehouden met behulp van een of andere dikke gel en hij droeg een t-shirt met daarop de tekst love me, love my mac. Vivi kreeg alleen al bij de aanblik van haar broer de neiging om te gaan kreunen. Hij zou enigszins leuk en misschien zelfs cool kunnen zijn, als hij er niet zo op gericht was om de nerd uit te hangen.

'Ik ben er, loser,' deelde Vivi hem mee en ze schoof hem met haar heup aan de kant.

'Kop dicht,' mompelde Marshall en hij kreeg een kleur. 'Ik zie jullie straks, luitjes. Ik zit in de kamer,' liet hij hun weten.

'Interesseert me niet,' riep Vivi hem achterna. Marshall vernauwde zijn groene ogen – exact dezelfde kleur als die van Vivi – en vertrok.

'Dag, Marshall,' zei Isabelle, beleefd als altijd.

Ze stapte naar binnen en Vivi sloot de deur. 'Oké, wat wil je eerst zien? *The Holiday? She's the man? Erin Brokovich?*'

'Iz?' zei Lane onzeker. 'Gaat het wel goed met je?'

Vivi's hart kromp ineen en ze draaide zich om. Er stroomden tranen over Isabelles gezicht. Ze zette haar reistas van Kate Spade op de vloer en jammerde: 'Hij gaat met haar naar het gala!'

'Jemig, Izzy!' zei Lane. 'Hoe heb je… Wie heeft je dat verteld?'

'Zij heeft me dat verteld! Ik kwam haar in het winkelcentrum tegen en ze liep er vreselijk over op te scheppen!' huilde Isabelle. 'Hij neemt haar mee naar het gala in de smoking die ik uitgezocht heb. Die ik betaald heb!'

'Wat een rotzak,' zei Vivi met ingehouden woede. Het gala betekende alles voor Izzy. Iedereen wist dat, vooral Shawn. Niet dat Vivi wilde dat Isabelle met hem zou gaan, maar dat hij iemand anders gevraagd had en dat ze er op deze manier achter moest komen, was verpletterend. 'Mag ik hem vermoorden?' vroeg Vivi.

'Ik haat hem,' zei Isabelle en ze hapte naar adem. 'Ik haat hem zo erg!'

Terwijl Lane Isabelle knuffelde, zag Vivi vanuit haar ooghoek iets bewegen. Haar broer stond aan de andere kant van de open kamerdeur te luisteren naar elk woord dat gezegd werd. Ze wierp hem een dodelijke blik toe en sloeg haar arm om Isabelles schouder.

'Kom, we gaan naar beneden,' zei ze.

'Oké,' antwoordde Isabelle met een door tranen verstikte stem.

Na ongeveer tien minuten van onsamenhangend gepraat en gesnik werd Isabelle eindelijk wat rustiger. Met roodomrande ogen keek ze de met hout betimmerde kelder rond en ze haalde haar neus op.

'Welke films hebben jullie gehuurd?' vroeg ze en ze stak haar handen in de mouwen van haar donzige trui.

'Als je niet wilt, hoeven we nergens naar te kijken,' zei Lane.

'Dat moeten we wel! Ze heeft afleiding nodig,' deelde Vivi mee en ze stak haar hand uit naar de dvd's.

'Klopt,' zei Isabelle zwakjes.

Vivi stond op en stopte *The Holiday* in de dvd-speler. Net toen de voorfilmpjes begonnen, ging de deur van de kelder open. Vivi zag op de trap de achterlijke donkerbruine schoenen van haar broer.

'Hebben we je hier uitgenodigd?' schreeuwde ze.

'Ik breng jullie alleen maar wat frisdrank,' antwoordde Marshall.

Hij stond onder aan de trap stil met een fles bitter lemon en drie plastic bekers. 'Ik dacht dat jullie misschien zin hadden om iets te drinken.'

'Dank je, Marshall,' zei Lane, daarmee de hatelijke opmerking voorkomend die Vivi juist wilde maken.

'Ik ben dol op bitter lemon,' zei Isabelle wezenloos.

'Nou, alsjeblieft.' Marshall zette alles op de tafel en liep achteruit weer weg. 'Ik ben boven.'

'Voor de tweede keer: kan me niet schelen,' antwoordde Vivi.

Marshall keek geïrriteerd in haar richting, maar draaide zich om en trok zich terug.

'Vivi, hij probeert alleen maar aardig te zijn,' zei Isabelle.

'Nee. Hij heeft gewoon niks beters te doen op vrijdagavond,' zei Vivi.

Ze stond op, liep met twee treden tegelijk naar boven en schoof de ouderwetse grendel op de deur. Op de terugweg naar beneden deed ze de lampen uit en nestelde zich toen op de gigantische leren bank, tussen haar vriendinnen in. De tijd was gekomen om Operatie Afleiding en Zelfvertrouwen voor Izzy in gang te zetten. Geen storende elementen meer.

Vivi wierp een paar popcornkorrels in haar mond op het moment dat Kate Winslet de deur voor de neus van haar ex-vriendje dichtsloeg en haar armen triomfantelijk in de lucht stak. Vivi had geen perfectere film kunnen uitzoeken om na het uitmaken van een relatie te bekijken dan *The Holiday*. Cameron Diaz en Kate denken allebei dat hun leven voorbij is als ze het uitgemaakt hebben met hun respectievelijke ellendelingen en dan vinden ze allebei het ware geluk. Het was een geïnspireerde keuze geweest, al zei ze het zelf. Ze keek naar Isabelle, half in de verwachting dat ze zat te glimlachen vanwege de romantische inspiratie. Isabelle zat echter naar de vloer te staren en op haar duimnagel te kauwen.

'Wat is er aan de hand?' vroeg Vivi en ze greep de afstandsbediening om de film op pauze te zetten. 'Je kijkt niet eens!'

'Ik weet het,' zei Isabelle. Ze trok haar knieën op en leunde achterover. 'Ik blijf maar aan Shawn denken. Wat denk je dat hij vanavond aan het doen is?'

Eh, zich bevuilen met een zekere rotmeid? dacht Vivi.

'Ik weet het niet, Iz,' zei Lane.

Isabelle beet op haar lip. 'Denk je dat we weer verkering kunnen krijgen?'

Vivi ging zo snel overeind zitten dat ze de helft van de schaal popcorn op de vloer morste. 'Wat?'

'Vivi,' zei Lane op waarschuwende toon.

'Je hebt ons net verteld dat hij Tricia meegevraagd heeft naar het gala. Wat denk je zelf?' vroeg Vivi.

'Ik weet het,' zei Isabelle. Ze ging met haar handen door haar haar. 'Ik weet het. Het is alleen… Ik hou zoveel van hem. Tricia zal hem niet gelukkig maken. En het gala is pas over een paar weken…'

'Jemig, luister even naar jezelf!' flapte Vivi eruit, terwijl ze de kussens die naast haar lagen stevig vastgreep. 'Maak je je zorgen omdat híj misschien niet gelukkig wordt? Jíj bent degene die er ellendig aan toe is!'

'Je hoeft haar niet aan te vallen,' zei Lane en ze ritste de capuchon van haar trui zo ver mogelijk dicht, alsof ze zichzelf wilde beschermen.

'Ik was maar wat aan het… kletsen,' voegde Isabelle eraan toe en ze wendde haar blik af.

'Je hebt het over opnieuw verkering krijgen, terwijl hij nota bene vreemdgegaan is. Terwijl hij iemand anders gevraagd heeft om met hem naar het gala te gaan,' hielp Vivi haar herinneren. Ze stond abrupt op en begon te ijsberen voor de tv, waarop Kate midden in haar feestvreugde was blijven steken. 'Ik bedoel, hallo. Wanneer houdt dit eens op? Laten we het niet hebben over de ónbelangrijke redenen waarom het uitraakte tussen jullie.' Ze stak haar hand op om de belangrijke redenen op te sommen. 'Je nam hem terug nadat hij vorig jaar niet kwam opdagen bij het toneelstuk. Je nam hem terug na de Sweet

Sixteenmislukking. Je nam hem terug nadat hij het met je uitgemaakt had op de dag van je toelatingsgesprek op Stanford University. Weet je nog hoe ondersteboven je daarvan was? Door zijn schuld was je bijna niet aangenomen! En nu gaat hij vreemd waar jij bij bent en toch wil je hem nog stééds? Wanneer zie je eindelijk eens in dat je iets veel beters verdient dan Shawn Slettig?'

'O, wat ben jij volwassen, zeg,' snifte Isabelle en ze sloeg haar armen over elkaar.

'Rustig nou, Viv,' zei Lane, terwijl ze overeind sprong om een miniquiche van de tafel te pakken.

'Waarom?' zei Vivi. 'Serieus. Het is tijd om in te grijpen.'

'Zeg alsjeblieft niets waar je later spijt van krijgt,' zei Lane op haar schooljuffentoon. 'Want als je niets van hem overlaat en ze toch weer verkering krijgen…'

'Ze krijgen geen verkering meer!' protesteerde Vivi, met haar handen in haar zij.

'Eh, ik ben hier, hoor.' Isabelle stak haar hand op. Ze klonk gefrustreerd. 'En jij kunt me niet vertellen wat ik moet doen, Viv.'

'Nou, dat is helaas wel nodig,' antwoordde Vivi, die kwaad werd. 'Je bent klaarblijkelijk niet in staat om je eigen beslissingen te nemen. Ik wil dat je gelukkig bent en Shawn maakt je alleen maar ongelukkig. Jouw relatie met hem komt maar van één kant.'

Isabelles gezicht vertrok van woede en ze ging recht tegenover Vivi aan de overkant van de tafel staan. 'Alsjeblieft, zeg. Wat weet jij nou van relaties? Sinds Daniel heb jij er niet één gehad die langer duurde dan een maand! Shawn en ik zijn al vier jaar samen!'

'Waarschijnlijk ongeveer twee, als je alle keren dat het uit was meerekent,' snauwde Vivi terug.

'Meiden…' zei Lane.

'In elk geval versier ik geen jongens die ik vervolgens net zo lang treiter tot ze het met me uitmaken!' antwoordde Isabelle.

Vivi had het gevoel dat ze een klap in haar gezicht kreeg. 'Wat?'

'O jee, Viv. Het spijt me,' zei Isabelle. Ze sloeg even haar hand voor haar mond. 'Dat meende ik niet.'

Vivi moest weer gaan zitten. Was dat echt wat haar vriendinnen van haar dachten? Dat ze jongens systematisch treiterde?

'Het spijt me, Vivi,' herhaalde Isabelle. 'Echt.'

Lane keek Vivi hoopvol aan. Vivi haalde diep adem en kamde met haar vingers door haar dikke paardenstaart. Ze was kampioen in onaangekondigde woordbommen. Maar op dit moment kon ze dat tegenover Isabelle niet maken zonder zich een gigantische hypocriet te voelen. Vooral niet in Izzy's huidige toestand.

'Het is oké,' zei Vivi. Ze greep Izzy's hand en kneep er even in.

Isabelle haalde diep adem en vouwde de gebreide deken op waar ze de hele avond opgekruld onder had gelegen. 'Ik kan maar beter gewoon weggaan.'

'Wat? We zijn nog niet eens aan het ijs toegekomen,' protesteerde Lane.

'Ik ben niet echt in de stemming voor ijs,' zei Isabelle verontschuldigend.

Vivi voelde zich plotseling wanhopig. Deze hele avond was bedoeld om Isabelle af te leiden en haar te helpen om over Shawn heen te komen, maar het had geen snars geholpen.

'Ga alsjeblieft niet weg, Iz,' zei Vivi. 'Het spijt me. Het was niet mijn bedoeling om je aan te vallen. Ik wil… Ik wil niet dat je naar hem teruggaat. Zeg nu zelf: je gaat volgend jaar op Stanford studeren. Dat is toch een totaal andere wereld? Nieuwe mensen, nieuwe jóngens… Waarom zou je hem terugwillen?'

Isabelles ogen vulden zich met tranen en ze haalde haar schouders op. 'Ik hou van hem. Het spijt me dat ik dat gevoel niet zomaar uit kan schakelen.'

Ze liep Vivi voorbij en pakte haar roze Nine West-regenjas en haar Kate Spade-reistas van de vloer. 'Bedankt voor de poging, meiden. Die stel ik erg op prijs. Ik wil nu gewoon naar mijn eigen bed, snap je?'

Vivi en Lane wisselden een verslagen blik. 'We begrijpen het.'

Ze liepen met Isabelle mee naar boven en Vivi gaf haar een knuffel voordat ze haar naar haar auto liet gaan. Toen Vivi de deur sloot, waren haar schouders gebogen.

'Hoe krijgen we haar ooit zover dat ze over hem heen komt, als ze dat zelf niet wil?' vroeg ze.

Lane schudde haar hoofd. 'Ik weet het niet.'

Vivi staarde naar de betegelde vloer van de hal. 'Weet je, als ik wil, kan ik wel een lange relatie hebben. De jongens op school kunnen alleen niet met mij omgaan.'

'Ik weet het.'

Lane sloeg haar arm om Vivi's schouders en Vivi liet haar hoofd rusten op dat van Lane. Samen schuifelden ze naar de keuken met het lichtgroene aanrecht uit de jaren zeventig en de gele plastic tafel. Vivi's moeder was dol op kitsch en daarom had ze helemaal niets veranderd in hun keuken sinds ze het huis van een ouder echtpaar had gekocht. Vivi zat toen nog op de kleuterschool. Vivi rukte de antieke diepvries open en haalde er een paar bakken ijs uit. Daarna ging ze op zoek naar lepels en schaaltjes en garnering. Binnen twee minuten hadden ze twee torenhoge ijscoupes gemaakt. Vivi nam een grote hap, waardoor er chocoladesaus over haar hand drupte. Ze griste een servet uit de keramische servettenhouder in de vorm van een koe midden op de keukentafel en zuchtte.

'Goed. Dát is de oplossing,' zei ze en ze ging rechtop zitten.

'Wat is de oplossing?' vroeg Lane behoedzaam, terwijl er bijna wat ijs uit haar mondhoek liep.

'We gaan een manier bedenken om Isabelle bij Slettig vandaan te houden,' zei Vivi vastberaden.

'Hoe wil je dat doen? Hem ontvoeren?' vroeg Lane.

Vivi kneep haar ogen tot spleetjes en stelde zich Shawn voor, ergens vastgebonden in een kelder vol ratten, met niets dan smerige vodden aan, terwijl hij om genade smeekte. 'Niet iets wat zo drastisch is,' zei ze. Ze pakte haar schaaltje, haar lepel en nog een paar servetten. 'Kom mee. We gaan naar mijn kamer om te brainstormen.'

'Maar de film dan?' vroeg Lane aarzelend.

'De film kan de pot op,' zei Vivi en ze nam opnieuw een enorme hap ijs. 'Dit is veel belangrijker. We moeten Izzy redden.'

'Weet je, misschien kunnen we een therapeut voor haar vinden?' ratelde Vivi, terwijl ze heen en weer liep achter Lane, die achter de computer in Vivi's slaapkamer zat. Ze moest over de stapels kleren, boeken en andere zaken die op de vloer lagen heen stappen en ze schopte steeds spullen opzij. 'Of een hypnotiseur! Iemand die haar kan deprogrammeren. Google daar eens op!'

'Ja, goed. Ik ben op zoek,' loog Lane, terwijl ze haar wachtwoord intypte op de MSN-inlogpagina.

'Niet dat ze erheen gaat, want ze ziet deze hele kwestie kennelijk niet als een probleem, wat natuurlijk volkomen MD is,' zei Vivi en ze staarde naar het plafond.

Lane grijnsde. 'Je klinkt net als Curtis.'

'O, shit! Je hebt gelijk,' zei Vivi en ze greep naar haar hoofd. 'Jouw kleine liefdesvirus heeft mijn hersenen geheel geïnfecteerd,' plaagde ze.

'Hij is mijn liefdesvirus niet,' zei Lane, maar ze trok haar paardenstaart over haar schouder om ermee te spelen.

'Wat jij wilt,' antwoordde Vivi, terwijl ze op de rand van haar onopgemaakte bed ging zitten. Ze sloeg haar benen over elkaar en draaide met haar bovenste voet rondjes alsof ze in iets aan het roeren was. 'Ik begrijp niet waarom je hem niet gewoon voor het gala uitnodigt. Eigenlijk ben jij net zo erg als Isabelle, alleen heb jij de moed niet om de jongen in kwestie te vrágen en heeft zij de moed niet om hem te dúmpen. Waarom vraag je hem niet gewoon mee naar het gala? Wat is het ergste wat er zou kunnen gebeuren?'

'Ehm… hij kan gillend de andere kant op rennen en nooit meer met me willen praten, waardoor onze hele groep uit elkaar valt en onze levens voorgoed veranderen,' antwoordde Lane automatisch.

'O, ja. Dat zou vreselijk zijn,' antwoordde Vivi, zichtbaar balend dat Lane best iets zinnigs zei. 'Hoe dan ook… terug naar Isabelle. Wat gaan we doen?'

'Ik heb geen idee,' zei Lane luchtig. Ze keek wel uit om Vivi te stimuleren. Als ze dat deed, zou dit geratel vroeg of laat wel eens een echt plan kunnen worden, en Lane wist uit ervaring dat Vivi's plannen zelden het gewenste resultaat hadden. Maar soms, als ze geluk had, babbelde Vivi zonder richting of doel tot ze zichzelf uitputte, waardoor het hele onderwerp op niets uitliep.

Lane was al naar haar inbox gesurft en ze was opgetogen toen ze een bericht van SurfBoy07 boven aan de lijst zag staan. Als het goed was, had hij haar meest recente schilderij beoordeeld. SurfBoy07 was een student aan de kunstacademie in Californië, die ze maanden geleden op de site was tegengekomen. Na een paar MSN-gesprekken waren ze erachter gekomen dat ze allebei een grote liefde voor kunst koesterden en behoefte hadden aan een onpartijdig oordeel van iemand buiten hun eigen klas. Ze waren begonnen met het over en weer sturen van jpeg-bestanden en Lane was van mening dat haar schilderkunst dankzij zijn commentaar enorm vooruitgegaan was. Ze kruiste vol verwachting haar vingers en klikte op het bericht.

'O. Misschien kunnen we een manier vinden om Shawn totaal onaantrekkelijk voor haar te maken,' ging Vivi verder, terwijl ze van het bed opstond en weer begon te ijsberen. 'Want die jongen ís populair, dat moet ik toegeven. Misschien kijkt Izzy om die reden over alle andere shit heen? Misschien moeten we in zijn huis inbreken en zijn hoofd kaalscheren!'

'Ik accepteer het niet als je gaat inbreken,' zei Lane, terwijl ze het berichtje van SurfBoy07 doorlas.

Hoi Penny Lane,
Dit schilderij is ongelooflijk goed. Je gebruik van licht-
val en schaduw is dramatisch vooruitgegaan. Echt
waar. Je beste werk tot nu toe. Is het flauw om toe te
geven dat ik jaloers ben??
☺
SB07

Lanes hart zwol van trots en ze kon een grijns maar net onderdrukken. Dit was precies het bericht waarop ze had gehoopt. Haar beste werk tot nu toe. SurfBoy07 volgde een echte kunstopleiding op een goede kunstacademie. Als hij het goed vond, dan moest ze er wel een 9 voor krijgen.

'Wauw. Wie is dat?' Vivi stond stil en staarde over Lanes schouder naar het beeldscherm. Lane keek vluchtig naar de foto van SurfBoy07. Met zijn leuke zongebruinde kop en zijn vriendelijke glimlach wás hij inderdaad nogal filmsterachtig.

'Hij is gewoon een vriend van me op MSN,' zei Lane en ze probeerde haar enthousiasme over het positieve oordeel te temperen om te voorkomen dat Vivi haar erover zou uithoren. 'Hij is kunstenaar. We chatten af en toe met elkaar.'

'Jemig. Ik geloof nooit dat dat zijn echte foto is,' zei Vivi. Ze reikte om Lane heen, pakte de muis en scrolde snel naar beneden over SurfBoys tekst. 'Hij heeft hem ongetwijfeld gestolen van een of andere modewebsite.'

'Nee hoor, echt niet. Ik heb hem naar die foto gevraagd. Dat is hem echt,' protesteerde Lane.

'Echt niet.' Vivi kwam overeind. 'Geen enkele echte jongen is zo cool.'

'Heb je enig idee hoe idioot je klinkt? Natuurlijk is er iemand zo cool, want die foto is van die iemand gemaakt,' legde Lane haar uit.

'Nou, het is in elk geval niet SurfBoy07. Niemand die er zo geweldig uitziet, heeft tijd om op MSN te zijn,' zei Vivi. 'Het spijt me dat ik je dit moet vertellen, Lane, maar hij moet wel nep zijn.' Vivi snoof alsof Lane niet goed wijs was en beende weg.

Lane voelde zich gekwetst. Waarom moest Vivi haar op zo'n manier kleineren? Kon ze dan nooit ergens gelijk in hebben?

'Wacht eens even! Dat is de oplossing!' deelde Vivi opeens mee.

Al Lanes nekharen gingen overeind staan. 'Wat? Wat is de oplossing?'

'Een nepvriend!' Vivi draaide zich met stralende ogen om. Ze pakte de armleuningen van de stoel en draaide Lane naar zich toe. 'We verzinnen een jongen voor Isabelle op MSN! Iemand die haar aandacht helemaal afleidt van die onbetrouwbare, vulgaire Slettig.'

Lane kreeg kippenvel, omdat ze plotseling bevangen werd door een enorme angst. Shit, shitterdeshitshit. 'Wat?'

'Kom op! Wie kent Isabelle beter dan wij? Wij kunnen de perfecte jongen voor haar verzinnen,' zei Vivi en ze klapte in haar handen. 'We kunnen hem een beetje ruig maken, omdat we weten dat ze daarvan houdt. Maar we kunnen ook een leven voor hem verzinnen! Hem interessant maken! Shawn is alleen maar geïnteresseerd in roken, drie snaren van zijn gitaar bespelen en de sukkel uithangen. We kunnen iets véél beters bedenken. En MSN is de perfecte plek om dat te doen. We kunnen hem zo fantastisch maken als we zelf willen!'

In haar stoel wrong Lane zich in allerlei bochten. 'Vertel me alsjeblieft dat je een grapje maakt.'

'Zie ik eruit of ik een grapje maak?' vroeg Vivi en ze stak haar handen in de zakken van haar sweater.

Lane keek haar vriendin recht in haar opgewonden groene ogen. 'Helaas niet.'

'Goed,' zei Vivi met een grijns. 'Ga dus van mijn stoel af.'

3

'Ongelooflijk,' zei Vivi, met haar armen achter haar hoofd achterover leunend in haar stoel. Ze keek op haar Nike-sporthorloge. 'Een compleet nieuwe persoonlijkheid in minder dan een uur.'

'Weet je zeker dat je hem geen coole webnaam wilt geven?' vroeg Lane vanaf haar wankele keukenstoel naast Vivi. 'De meeste mensen hebben er een.'

'Dat zit wel goed, *Penny Lane*,' zei Vivi sarcastisch. 'Brandon is daar te cool voor.'

Lane sloeg haar ogen ten hemel vanwege de steek onder water.

'Hoezo? Kom op. Jij was degene die vond dat hij een man van weinig woorden moest zijn… wat overigens absoluut super was,' zei Vivi in een poging om Lane te sussen met een compliment. Ze pakte de muis en scrolde naar boven. 'Zou een jongen die in 'over mezelf' alleen maar meedeelt: 'Drumstel. Zomer. Boeken. Koffie… zwart,' echt een sukkelige naam voor zichzelf bedenken?'

Lane dacht hier met een bedachtzame frons over na. 'Oké. Goed punt.'

Ze leunden allebei achterover om hun werk te bewonderen.

De coole zwartbruine achtergrond hadden ze illegaal gekopieerd van een van Lanes andere mannelijke vrienden – ze leek er heel wat te hebben, tot Vivi's verbazing – maar misschien was haar vriendin beter in online praten met jongens dan in levenden lijve. Lane had ook wat geweldige lijstjes met favorieten samengesteld. Ze waren niet zo uitgebreid, maar bevatten enkele favorieten van Isabelle en ze waren aangevuld met keuzes die overtuigende jongenszaken waren, zoals *The Art of War, Junk Brothers* en bepaalde films van Adam Sandler.

Vervolgens, als pièce de résistance: zijn profielfoto. Een foto van een zwart-witte boxerpup die ze van de homepage van een andere jongen hadden gehaald. Isabelle was dol op honden. Als Brandon zijn pup als foto had, zou Izzy misschien afgeleid worden van het feit dat ze niet echt wist hoe de jongen eruitzag. Ze hadden zelfs 'mijn hond Henley' in de afdeling 'helden' gezet. Dat was Vivi's meest geïnspireerde idee van de avond geweest.

'Het is perfect,' zei Vivi voldaan.

'Nog niet helemaal,' zei Lane en ze pakte de muis. 'Hij heeft wat vrienden nodig.'

'Hoe bedoel je?' vroeg Vivi.

'Isabelle kan niet de eerste vriendin op zijn lijst zijn. Dan lijkt hij een eenzame stalker,' legde Lane uit. Ze surfte naar haar eigen account en ging naar haar lijst met vrienden. 'Kijk. We zoeken wat mensen die op dit moment online zijn en sturen hun een verzoek om een vriend toe te voegen.'

'Lane, volgens mij ben jij best goed in misleiden,' zei Vivi onder de indruk.

'Ik laat me er niet door meeslepen,' zei Lane met een vleug sarcasme. Ze had erop toegezien dat Vivi geen moment was vergeten dat zij dit hele plan afkeurde, maar toch bloosde ze enigszins.

Binnen een kwartier had Brandon elf nieuwe vrienden en

twee opmerkingen over hoe cool zijn hond was.

'Ongelooflijk, hoeveel mensen er op een vrijdagavond niets beters te doen hebben,' zei Vivi hoofdschuddend.

'Daar horen wij ook bij,' antwoordde Lane.

'Ja, maar wij hebben een missie,' verklaarde Vivi. Ze ging naar voren zitten, zette haar voeten op de vloer en trok het toetsenbord naar zich toe. 'Oké. We gaan aan de slag.'

'Nu? Ga je haar nu een berichtje sturen?' Lane was in paniek.

'Waarom zouden we nog langer wachten?' vroeg Vivi.

'Laten we er nog even over nadenken,' zei Lane en ze stond op. 'Mister Perfect ontwerpen is inderdaad erg leuk, maar willen we op deze manier met haar rotzooien?'

'We rotzooien niet met haar,' protesteerde Vivi. 'We helpen haar om het licht aan het eind van de tunnel te zien. Ze moet weten dat er voor haar nog andere opties zijn.'

'Ja, maar…'

'Lane. Het is volmaakt onschuldig,' zei Vivi tegen haar, met haar hoofd schuin. 'Ga maar na: elke echte jongen kan haar op elk moment toevoegen en hetzelfde doel dienen. We hebben alleen geen tijd om daar op te wachten. Wees nou geen watje.'

Lane haalde diep adem en Vivi wist dat ze haar overgehaald had. Haar ogen dwaalden over het beeldscherm met Isabelles fraaie roze-met-witte pagina erop. Isabelle keek hen lachend aan vanaf de foto die was genomen op Lanes bowlingverjaardagsfeestje.

Lane kneep haar ogen dicht. 'Oké, goed. Laten we het maar doen.'

'Yes! Wat zal ik schrijven?' vroeg Vivi met haar handen boven de toetsen. Ze begon te typen. 'Hey. Je bent hot. Waar heb je…?'

'Vivi!' riep Lane geschokt.

'Wat is er?'

'Je bent hot? Dat kun je niet maken,' zei Lane.

'Hoezo? Ik probeer als een jongen te klinken,' antwoordde Vivi met grote ogen. Ze hield haar handen met de handpalmen omhoog boven het toetsenbord. 'Denk je dat je het beter kunt?'

Lane haalde haar schouders op. 'Misschien…'

'Goed,' zei Vivi gepikeerd. 'Ga je gang.'

Lane schraapte haar keel. Aarzelend schoof ze achter het toetsenbord. Vivi ging staan en keek over haar schouder mee terwijl ze typte.

Hey,
Je hond lijkt sprekend op mijn oom Franklin. Dat is ontzettend maf.
Ruikt hij ook naar koffie en sigaretten?
- Brandon

Verbijsterd staarde Vivi naar het bericht. 'Zijn oom Franklin? Wat bedoel…' Toen viel het kwartje en ze vroeg zich af of Lane toch geen genie was. 'O ja! Omdat ze altijd zegt dat Buster volgens haar half hond, half oude man is!'

'Precies,' zei Lane en ze sloeg haar armen over elkaar.

'Het is perfect.' Vivi stak haar arm uit en klikte op SEND.

'Wacht!' riep Lane.

'Te laat,' zei Vivi en ze klapte in haar handen. Ze surfte zelfvoldaan terug naar Brandons account. 'Operatie Uitschakeling Slettig is gestart.'

'Maar ik heb het niet kunnen overlezen!' riep Lane.

'Nou en? Ik wel. Het was perfect,' antwoordde Vivi.

'Wat als ze terugschrijft?' vroeg Lane.

Vivi legde haar handen op Lanes schouders en keek haar aan. 'Iets minder drama, oké? Het komt goed.'

Lane haalde diep adem en knikte beverig. 'Oké.'

'Bovendien. Kijk naar haar account. Ze is niet eens online.'

Vivi liet Lane los, pakte haar handdoek van de vloer en begaf zich naar de badkamer. 'Ze zei dat ze naar bed zou gaan als ze thuis was. Voor morgenochtend ziet ze het bericht waarschijnlijk niet eens.'

'Goed. Goed,' zei Lane, terwijl ze bij haar tas hurkte en de rits opentrok. 'Waarschijnlijk slaapt ze al.' Ze sjorde haar blauwe Paul Frank-toilettas tevoorschijn en stond op, maar na één blik op de computer verstarde ze. 'Eh, Vivi?'

'Ja?'

'Ze heeft geantwoord,' zei Lane.

Vijf hele seconden lang hield Vivi's hart op met slaan. 'Nu al? Maar ze is niet...'

'Je kunt verbergen dat je online bent,' zei Lane en haar stem werd schril. 'Iets wat we waarschijnlijk al eerder hadden moeten doen, want op dit moment kan ze zien dat wij... dat Brandon... online is.'

Vivi's ogen werden groot en ze liep naar het bureau. 'Wacht eens, dus ze wacht op een reactie van ons?'

'Misschien wel! Ik bedoel, ze weet dat we... dat hij... o lieve help!' riep Lane en ze liet zich op het voeteneind van Vivi's bed vallen. Ze hield de toilettas met beide handen vast en schudde met de inhoud alsof het een rammelaar was. 'Ik dacht dat ze naar bed zou gaan!'

'Nou, dat was dan een grote leugen,' zei Vivi, met haar handen in haar zij.

'Wat moeten we nu doen? Wat moeten we nu doen?' vroeg Lane. Ze liet de toilettas vallen alsof de apen die erop afgebeeld stonden tot leven gekomen waren en in haar vingers beten. Ze wapperde met haar handen, terwijl haar gezicht vuurrood werd.

'Rustig maar,' zei Vivi en ze rolde met haar ogen. 'Laten we het bericht gewoon lezen en kijken wat ze zegt.'

Ze ging voor de computer zitten en opende Isabelles berichtje.

Jeetje! Dat is zóóó grappig! Ik heb altijd gevonden dat
er in Buster een oude man opgesloten zit. Leuk om te
weten dat iemand anders dat ook ziet. Nieuw op MSN,
hè? Welkom. Ik hoop dat je mij wilt toevoegen aan je
lijst. Wat doe je op vrijdagavond thuis?
MB!
Izzy

'Ze vindt hem helemaal te gek,' zei Vivi en ze voelde zich draaierig.

'Ze weet absoluut dat wij hier zijn!' zei Lane met opeengeklemde kaken, en ze leunde met haar handen tegen de rugleuning van Vivi's stoel. 'Ik bedoel dat híj hier is!'

Opeens verscheen er een berichtje op het scherm en Lane gilde en greep Vivi beet, alsof er zojuist een seriemoordenaar had
ingebroken.

IzzyBelly: Ik ben geen stalker. Verveel me. Ben je daar?

'O jee. O jee. Wat gaan we zeggen?' riep Lane, zwaar leunend op
de rugleuning van Vivi's stoel.

Vivi's bloed bonsde in haar oren en ze had het gevoel dat alles stond te schudden. 'Wees nou even rustig, wil je? Je maakt
me doodnerveus!'

'Wat is ze aan het doen? Zo doet ze anders nooit!'

'Misschien volgt ze ons advies op en probeert ze verder te
gaan met haar leven?' zei Vivi hoopvol en ze stroopte de mouwen van haar trui op.

'We moeten terugschrijven,' zei Lane tegen haar. 'Ze zit te
wachten. Als we niet antwoorden, zal ze zich weer afgewezen
voelen.'

'Oké.' Vivi legde haar vingers op het toetsenbord. Ze trilden.

Lanes psychotische stress was besmettelijk. Als ze nu iets verkeerd deed, zou dit plan mislukken, nog voor het goed en wel begonnen was. Maar als ze nu het júíste antwoord gaf – wat het ook was dat Isabelle op dit moment nodig had – dan zou alles ten goede kunnen veranderen. 'Wat moet ik zeggen?'

'Wat zou een jóngen zeggen?' vroeg Lane handenwringend.

'Ik heb geen idee,' antwoordde Vivi. 'Ondanks de stompzinnige grappen van sommige mensen, ben ik geen jongen.'

De klok rechts onder in de hoek van haar scherm sprong van 11.31 naar 11.32. Vivi's hart begon nog sneller te kloppen. Aan de andere kant van de stad zat Isabelle naar haar computerscherm te staren en te wachten op het perfecte antwoord.

'Ik kan er niet meer tegen!' viel Vivi uit en ze schoof bij de computer vandaan. 'Dit is té heftig!'

'Vivi! We móéten iets doen!' Lane draaide rondjes als een hond die een plekje zoekt om te gaan liggen, daarbij voortdurend handenwringend. Aan de andere kant van de hal blèrde Death Cab for Cutie uit blikkerige luidsprekers. Lane bleef ineens staan, met haar gezicht naar de deur. 'Marshall!' riep ze opgetogen.

'Wat is daarmee?' wilde Vivi weten.

'Marshall is een jongen!' Lane rende de kamer uit en de hal door.

'Daar valt over te twisten!' riep Vivi en ze liep door de hal achter haar aan.

Lane liep door de open deur regelrecht Marshalls kamer in. Ze kwam twee seconden later weer naar buiten en duwde een in pyjama geklede Marshall bij zijn schouders in de richting van Vivi.

'Dit gaat echt niet werken,' zei Vivi en ze stak haar handen in de lucht – ook al wist ze geen alternatief.

'Ehm, wat gaat er niet werken?' vroeg Marshall argwanend.

Lane liet hem bij het bureau stoppen en trok de stoel naar hem toe. 'Zit,' beval ze.

'Waarom?' Marshall was begrijpelijkerwijs bezorgd.

'Lane. Marshall heeft meer oestrogeen in zijn aderen dan ik,' zei Vivi.

'Oestrogeen zit niet in je aderen,' verbeterde Marshall met een geërgerde blik. 'En dat heb ik niet.'

'Zie je nu wel? Hij is een absolute nerd! Hij is geen Brandon,' zei Vivi.

'Brandon ís een nerd,' zei Lane. 'Slimme jongens zijn sexy.'

'Is dat zo?' vroeg Marshall, enigszins oplevend.

'Deze niet,' mompelde Vivi.

'Marshall, wil je alsjeblieft even gaan zitten?' smeekte Lane.

Marshall deed wat hem gevraagd werd, hoewel hij er nog steeds bezorgd uitzag. Hij ging op het randje van de stoel zitten, alsof hij elk moment kon wegrennen. Hoewel hij de deur nooit zou kunnen bereiken als Vivi hem wilde tegenhouden.

'We kunnen hem niet gebruiken,' zei Vivi.

'Dat kunnen we wel. We hebben een jongen nodig om met haar te praten. Wij zijn geen jongens. Marshall daarentegen wel,' legde Lane kalm en logisch uit, met haar handen in haar zij.

Vivi opende haar mond, maar Marshall stak zijn hand op en sloeg hem voor Vivi's mond. 'Zeg niet wat je van plan bent om te zeggen.'

Vivi sloeg haar ogen ten hemel en draaide zich om – haar manier om toestemming te geven voor het plan om Marshall erbij te betrekken, hoezeer het plan ook gedoemd was om te mislukken.

Lane zette haar handen op de armleuningen van de stoel en keek Marshall recht aan. 'Oké, het gaat hierom. We hebben zojuist een nepjongen voor Isabelle bedacht op MSN en nu zit ze met hem te MSN'en. Jij moet voor ons met haar praten,' zei ze.

Het beetje kleur dat er op Marshalls gezicht was, verbleekte. Hij keek angstig naar het computerscherm, alsof er duivelse boodschappen op verschenen. 'Wacht even, als ik terugtyp, dan typ ik naar Isabelle?'

'Ja! En ze zit te wachten,' zei Vivi en ze bracht haar gezicht dicht bij dat van Marshall om het te benadrukken.

'Zijn jullie helemaal gek geworden?' vroeg Marshall. Hij deinsde terug en keek van de een naar de ander.

'Dat lijkt me nogal duidelijk, vind je niet?' zei Lane. 'Maar alsjeblieft! Typ iets!'

'Eh… ik… wat is dit voor een jongen?' vroeg Marshall en hij schoof wat verder naar achteren op zijn stoel.

'Hij is een drummer. Erg cool. Nogal eenlettergrepig en, je weet wel, hot,' zei Lane.

'Dus precies het tegenovergestelde van jou,' voegde Vivi eraan toe, met haar hoofd schuin.

'Vivi!' waarschuwde Lane gedempt. 'Maar hij is ook slim én zeer belezen. Net als jij,' zei Lane tegen hem. 'Alsjeblieft, Marshall? Heel erg alsjeblieft?'

Achter haar snoof Vivi. Ze kon niet geloven dat ze dit liet gebeuren. Maar ze wist ook dat, als zij probeerde om met Isabelle te MSN'en, ze iets persoonlijks zou zeggen waarmee ze zich zou verraden en dat mocht niet gebeuren. Wat dat betreft was Marshall een goede keuze. Hij had nog bijna nooit met Isabelle gepraat, dus hij zou zich op geen enkele manier kunnen verraden.

'Goed dan,' zei Marshall eindelijk, hoewel hij eruitzag of hij elk moment in woede kon uitbarsten. 'Eenlettergrepig, hè?'

'Ja!' zei Lane.

Marshall schraapte zijn keel en veegde zijn handen af aan zijn zwarte pyjamabroek. Hij typte iets en drukte op SEND.

Brandon: Ik ben er.

'Tjonge, dat had ik ook nog wel kunnen bedenken!' schamperde Vivi.

'Ssssst!' zei Lane.

IzzyBelly: Is er niets te beleven in Connecticut op vrijdagavond?

'Connecticut?' vroeg Marshall en hij keek naar Lane voor nadere informatie.

'Daar komt hij vandaan,' antwoordde Lane.

Ze ging op de extra stoel zitten en trok hem dichter naar het bureau toe. Vivi pakte haar paarse zitzak, legde hem naast Marshall neer en installeerde zich aan zijn andere kant. Marshalls vingers, die boven het toetsenbord hingen, trilden.

Brandon: Waarschijnlijk net zoveel als er te beleven valt in Jersey.

IzzyBelly: Touché! ☺

Vivi lachte en klapte in haar handen. 'Ze vindt het leuk!'

Zowel Marshall als Lane ontspanden zichtbaar.

'Vind je het nog steeds een slecht idee?' vroeg Vivi aan Lane, om Marshall heen kijkend.

'We zullen zien,' zei Lane en ze probeerde een glimlach te onderdrukken.

'O, toe nou, zeg. Operatie Uitschakeling Slettig is in volle gang en dat is allemaal aan mij te danken,' snoof Vivi en ze sloeg haar armen over elkaar. 'Genieën worden in hun eigen tijd nooit gewaardeerd.'

4

Lane perste haar lippen op elkaar en controleerde haar lipgloss in de spiegel van haar kluisje. Daarna streek ze de voorkant van haar nieuwe wijdvallende babyblauwe bloes van Anthropologie glad. Normaal gesproken zou ze zoiets bijzonders niet naar school aantrekken, maar vandaag had ze een date met Curtis. Nou ja, niet echt een date. Ze gingen samen studeren voor het wiskunde-examen dat ze over een paar dagen hadden. Maar ze zouden wel samen van school naar huis lopen en samen zijn tot het avondeten, wat een aardig stuk een-op-een met Curtis op één dag was. Ze kreeg vlinders in haar buik als ze eraan dacht en ze had geen idee hoe ze acht hele lesuren door moest komen. Ze had het gevoel dat ze niet zo lang kon wachten. Alsof ze onder het wachten spontaan zou opbranden.

'Lane!'

Ze kromp in elkaar alsof ze betrapt werd, maar realiseerde zich dat ze alleen maar bij haar kluisje had staan dromen. Vivi kwam op haar af gerend met stralende ogen en een brede lach, zonder oog te hebben voor het groepje brugklassers dat uit elkaar stoof om te voorkomen dat ze onder de voet gelopen werden. Ze had een spijkerbroek aan en een nauwsluitende blauwe trui met de Amerikaanse adelaar erop. Haar haar werd naar achteren gehouden door een haarband en het was glanzend geborsteld. Voor Vivi was dit een goed-humeuroutfit. Ze stond nooit langer dan vijf minuten voor de spiegel, behalve als ze erg gelukkig was.

'Hoi! Heb je al met Isabelle gepraat?' vroeg Vivi en ze leunde tegen het kluisje naast dat van Lane.

Lane glimlachte. Als Vivi bezig was met een plan, dan praatte ze daar bijna alleen nog maar over, dacht ze daar bijna alleen nog maar aan. Eigenlijk werd het plan haar leven.

'Ik heb gisteravond met haar gepraat,' zei Lane nonchalant, omdat ze wist dat Vivi gek werd als ze nonchalant en vaag deed.

'En? Hoe klonk ze? Zei ze iets over Brandon?' fluisterde Vivi, met een blik over haar schouder.

'Nee,' zei Lane, terwijl ze haar boeken langzaam uit haar kluisje pakte.

'Nee? Kom nou, je maakt natuurlijk een grapje. Ze heeft het godganse weekend met Marshall zitten MSN'en. Ik ben mijn kamer amper uit geweest, omdat ik op hem moest letten,' zei Vivi. Ze draaide zich om en schopte met haar hiel tegen een van de kluisjes. 'Ze komt nooit over die rotzak heen, denk je wel?'

Lane besloot medelijden met haar vriendin te hebben. 'Ik heb je het goede nieuws nog niet verteld, Viv.'

Vivi's wenkbrauwen schoten omhoog. Ze draaide zich om en kwam dichter bij Lane staan. 'Goed nieuws? Wat voor goed nieuws?'

Lane boog zich naar haar toe, genietend van het moment. 'Ze heeft het ook niet over Shawn gehad. Niet één woord. Geen "Denk je dat we weer verkering krijgen?" Geen "Waarom heeft hij me niet gebeld?" Geen "Denk je dat hij nu bij Tricia is?" Niets. En we hebben minstens een uur aan de telefoon gehangen.'

Het nieuws had het gewenste effect. Vivi's hele gezicht klaarde op. 'Niet één woord?'

'Niet één woord.'

Vivi stak haar hand uit naar Lane en Lane sloeg er met een voldane glimlach op. Aanvankelijk had ze gedacht dat Vivi's MSN-plan belachelijk was en gedoemd om te mislukken. Maar Isabelle had gisteravond aan de telefoon goed geklonken. Bijna gelukkig. En na meer dan een week van twijfel aan zichzelf en van narigheid was het voor Lane voldoende geweest om achter het Brandon-plan te gaan staan. In elk geval voor het moment.

'Hoi meiden!'

Lane en Vivi keken op en zagen dat Isabelle naar hen toe kwam lopen. Haar haar was keurig geborsteld, haar make-up zat goed en ze droeg haar favoriete rode hemdje en haar leuke gebloemde rok. Lane werd draaierig toen ze haar zag.

'Ze is te-ru-hug,' zong Vivi zachtjes.

'Inderdaad,' was Lane het met haar eens.

'Kom mee,' zei Isabelle, toen ze hen voorbijliep. 'Ik moet naar de wc voordat ik naar de mentorles ga.'

Met een gelukkig gevoel deed Lane haar kluisje dicht en zij en Vivi liepen aan weerskanten van Isabelle door de gangen van de school. Ze waren bijna bij de deur van de toiletten toen Shawn Littig himself de hoek om kwam. Hij zag er net zo slechte-jongensachtig knap uit als altijd: ongeschoren, zijn haar in de war, een versleten T-shirt met lange mouwen aan. Lanes hart begon al nerveus te bonken op het moment dat ze hem zag, ze kon dus wel nagaan wat Isabelles hart deed. Vivi vloekte binnensmonds.

'Hoi, Belle,' zei Shawn. Hij leunde tegen de muur en keek haar met zijn hondenogen aan. Dit was altijd zijn manier om Isabelle te vertederen. De slechte jongen spelen, die alleen maar slecht was omdat hij gekweld en onzeker was.

Dit was het dan. Dit is het moment waarop het hele plan naar de bliksem gaat, dacht Lane.

Maar Isabelle stopte niet. Ze liep hem straal voorbij, opende de deur naar de toiletten en verdween. Lane bleef even totaal verbijsterd staan en keek over haar schouder naar Shawn. Hij zag er net zo verbijsterd uit als zij zich voelde.

'Dat, mijn beste vriendin, is het Brandon-effect,' zei Vivi rustig.

'Indrukwekkend,' zei Lane.

'Klopt,' zei Vivi. 'Misschien ga je nu ook wel luisteren naar mijn advies ten aanzien van Curtis.'

Lane rolde met haar ogen terwijl Vivi de toiletten in liep, maar ze begon toch te twijfelen. Misschien had Vivi wel gelijk ten aanzien van de situatie met Curtis. Misschien... was het tijd om naar haar beste vriendin te luisteren.

Lane liep na schooltijd naar de tribunes van de sportvelden, met een hart dat tegen haar ribbenkast bonkte, in een poging om naar buiten te breken. Ze had de hele dag lopen nadenken over Vivi en Isabelle en Shawn en Brandon. De hele dag had ze zichzelf lopen oppeppen om de stap te zetten. Om Vivi's advies op te volgen. Om haar mond open te doen en gewoon te zeggen: 'Wil je met me naar het gala?' Ongeveer vijf minuten geleden was ze er klaar voor geweest. Ze had absoluut en zonder twijfel zeker geweten dat ze het kon. Maar nu, nu ze Curtis voor zich zag, pratend met een paar jongens, wist ze dat het tegenovergestelde waar was.

Er was geen sprake van dat ze dit kon doen. Absoluut niet.

Maar dan weet je het tenminste, zei ze tegen zichzelf. Dan kun je in elk geval ophouden met je de hele tijd zo naar te maken.

Curtis kreeg haar in het oog en grijnsde. Hij stak zijn hand op als groet. Lanes hart maakte een sprongetje.

'Gewoon doen,' zei ze zacht tegen zichzelf. 'Je kunt het.'

'Hoi, Lane!' zei Curtis toen ze eindelijk binnen gehoorsaf-stand was.

'Hoi,' zei ze terug en ze streek een pluk haar, die over haar schouder hing, glad.

Ze was buiten adem en dat kwam niet door de wandeling. Op het buitenveld achter hem waren een paar van zijn vrienden een basketbal aan het overgooien.

'Ben je klaar om mee te gaan?' vroeg ze, bewust haar best doend om niet op en neer te springen.

Curtis klemde zijn kaken op elkaar en hield zijn hoofd speels schuin. Zijn krullen vielen schattig voor zijn ogen en hij veegde ze opzij. 'Eerlijk gezegd kan ik niet.'

Lane kreeg het warm van de teleurstelling. 'Hoe bedoel je?'

'Ik was totaal vergeten dat ik de jongens beloofd had om van-daag drie tegen drie met hen te spelen,' zei Curtis met een ge-baar over zijn schouder. 'Als ik niet blijf, krijgen we ongelijke teams.'

'Maar het examen dan?' zei Lane en terwijl ze het zei, voelde ze zich al een zeurpiet.

'We hebben morgen nog om te leren,' zei hij. 'Ik kan goed blokken.'

Lane voelde tranen achter haar ogen prikken, waardoor ze zich een complete loser voelde. En daardoor moest ze nog erger huilen. Ze had hier de hele dag naar uitgekeken. Het was het enige waaraan ze gedacht had. Maar het was duidelijk dat het Curtis niets uitmaakte of hij bij haar was of niet.

'O. Oké,' zei ze uiteindelijk en ze deed haar haar achter haar oor.

'Weet je, ik wil je om een grote gunst vragen,' zei hij.

'Wat dan?' vroeg Lane. Misschien hield de gunst op zijn

minst in dat ze op enig moment deze week tijd met hem zou kunnen doorbrengen.

'Zou je mijn fiets mee naar mijn huis willen nemen?' vroeg Curtis, terwijl hij smekend zijn onderlip naar binnen zoog. 'Jeff brengt me straks thuis en hij heeft alleen zijn Mustang bij zich.'

Lane wierp een blik op zijn mountainbike, die vlak bij haar in het zand lag. Hem thuisbrengen was niet zo moeilijk, als je in aanmerking nam dat ze naast elkaar woonden, maar het was niet bepaald romantisch.

'Lane?' drong Curtis aan en hij boog zich voorover om haar aan te kunnen kijken.

'O, eh, tuurlijk,' zei ze.

'Tenzij je wilt blijven kijken, natuurlijk,' stelde Curtis grijnzend voor. 'Ik kan er altijd een cheerleader bij gebruiken.'

Een klein moment overwoog Lane om het te doen. Maar toen zag ze over zijn schouder dat Kim Wolfe en nog een paar meisjes uit haar klas al zaten te relaxen op de tribune, pratend in hun mobieltjes en half kijkend naar de jongens. Het was niet bepaald een exclusieve uitnodiging. Kennelijk waren er veel meisjes bij betrokken.

'Neu. Dat hoeft niet,' zei Lane. 'Ik kan beter naar huis gaan om te leren.'

'Je bezorgt me een schuldgevoel,' grapte Curtis. Hij gaf met zijn vuist een duw tegen haar schouder en ze glimlachte. Zelfs wanneer ze van streek was, kon hij haar zo gemakkelijk aan het lachen maken. 'Dus je neemt de fiets mee?'

'Ja. Veel plezier,' zei Lane.

'Bedankt! Ik bel je nog wel, oké?'

'Yep.'

Curtis draaide zich om en rende naar het veld, waar de meisjes op de tribunes hem begroetten met geroep en geschreeuw. Lane bukte zich en tilde Curtis' fiets op uit het zand. Terwijl ze overeind ging staan, gleed het handvat langs de voorkant van haar bloes en liet daar een grote bruine veeg achter.

'Perfect,' zei Lane zacht, terwijl er achter haar gejuich losbarstte. 'Gewoon perfect.'

5

Vivi liep na de hardlooptraining haar kamer binnen en zag dat haar broer al achter haar computer zat.

'Jemig! Ik schrik me dood,' zei ze en ze gooide de deur dicht.

'Sorry. Geschiedeniswerkstuk,' antwoordde Marshall zonder op te kijken. Natuurlijk. Zo was haar broer. Hij had zich na schooltijd niet eens omgekleed – hij droeg nog steeds het belachelijk tuttige poloshirt en de korte broek die hij de hele dag gedragen had. Hij was waarschijnlijk binnengekomen, had bij wijze van snoep een gezonde appel en water gepakt en was regelrecht naar boven gegaan om aan het werk te gaan. Hoe het mogelijk was dat ze uit dezelfde genen voortgekomen waren, was Vivi een raadsel.

'Ik kan niet wachten tot ik mijn nieuwe computer krijg.' Vivi gooide haar sporttas op haar onopgemaakte bed en ging zitten om haar gympen uit te trekken. 'Dan kun jij deze krijgen en mij met rust laten.'

Marshall wierp zijn hoofd gefrustreerd in zijn nek, waardoor zijn blonde krullen van zijn voorhoofd naar achteren vielen.

'Hé! Je hebt je haar vandaag niet met gel omgetoverd tot een helmkapsel,' merkte Vivi op. 'Hoe komt dat?'

Marshalls gezicht werd vlekkerig en het kostte hem duidelijk moeite om haar aan te blijven kijken. 'Gewoon... eens iets nieuws uitgeprobeerd.'

Vivi stond op en ging met haar rug tegen haar bureau naast hem staan om het te inspecteren. 'Het staat je goed.'

Zijn vlekkerigheid nam toe. 'Bedankt.'

'En, is Isabelle online?' vroeg Vivi met een gebaar naar het scherm.

'Hoe moet ik dat weten?' antwoordde Marshall.

'Eh... omdat je daar een MSN-schermpje open hebt staan,' antwoordde Vivi. 'Kijk eens even?'

Marshall knipperde met zijn ogen. 'O ja, dat was ik vergeten.'

Hij klikte op het balkje en het MSN-scherm verscheen. Brandons MSN-scherm, om precies te zijn.

'Wat deed je op Brandons account?' vroeg ze. 'En hoe kwam je aan het wachtwoord?'

'Ten eerste is jouw wachtwoord al sinds het begin der tijden *dubbel-v*,' zei Marshall. 'En ten tweede was ik niets aan het doen. Ik zat het te bekijken. Om te zien hoe volgens jou en Lane een account van een jongen eruit moet zien. In het weekend kreeg ik daar niet echt de kans voor, toen jij me bevelen gaf en in mijn nek stond te hijgen.'

'O,' zei Vivi. Ze trok haar tweede stoel dichterbij, draaide hem om en ging er schrijlings op zitten. 'En? Wat vind je ervan?' vroeg ze en ze legde haar armen op de rugleuning van de stoel.

'Eerlijk gezegd lijkt hij me behoorlijk cool,' gaf Marshall toe en hij klikte op BEKIJK MIJN PROFIEL.

'Mooi zo,' antwoordde Vivi. Ze zag dat het icoontje voor Isabelles naam onder het kopje VRIENDEN groen was. Een golf van opwinding stroomde door haar heen. 'Kijk! Ze is online. Laten we met haar gaan MSN'en.'

'Nu?' zei Marshall en hij keek Vivi met grote ogen aan.

'Nee. Aanstaande woensdag,' zei Vivi en ze sloeg haar ogen ten hemel. 'Vraag haar gewoon wat ze aan het doen is.'

Marshall haalde diep adem en schraapte zijn keel. 'Oké. Maar niet meer dan een paar minuten. Ik moet weer verder met mijn werkstuk.'

'Ik beloof je dat je voor je het weet weer verder kunt met je dierbare huiswerk.'

Hij negeerde haar en sprak Izzy aan.

Brandon: Hoi. Is het leuk daar?
IzzyBelly: Hi! Niet zo. Hoe is het met je?
Brandon: Goed. Wat ben je aan het doen?
IzzyBelly: In de stress zitten, eerlijk gezegd.

Vivi en Marshall wisselden een blik. 'Waarover?' vroeg Vivi. Marshall typte verder.

Brandon: Waarover?
IzzyBelly: Het gala. Iedereen praat erover en ik heb geen date. Jammer dat je zo ver weg woont… LOL. Ik weet het niet. Ik heb gewoon het gevoel dat er niemand is met wie ik erheen kan.

'Dit is perfect!' zei Vivi. Ze stond op en draaide de stoel om, zodat ze dichter bij het scherm zat. 'Vertel haar dat je er zeker van bent dat ze iemand vindt. Vertel haar dat ze zo fantastisch is dat er waarschijnlijk wel honderd jongens in de rij staan om er met haar heen te mogen gaan.'

Brandon: Ik durf te wedden dat er heel wat jongens een moord zouden plegen om met je mee te mogen.

'Leuke formulering,' zei Vivi onder de indruk en ze leunde met haar elleboog op het bureau.

Marshall bloosde en haalde zijn schouders op.

IzzyBelly: Ik wou dat het waar was. In mijn klas zit niemand die geschikt is. In elk geval niemand die nog geen date heeft.

Vivi opende haar mond om een voorstel te doen, maar Marshall was al aan het typen.

Brandon: En uit andere klassen? De voorexamenklassen bijvoorbeeld?

Hij drukte op SEND voordat Vivi hem kon tegenhouden, daarom gaf ze hem in plaats daarvan een dreun tegen zijn blonde achterhoofd.

'Hé! Au!' protesteerde Marshall, terwijl hij wreef over de plek die Vivi geraakt had.

'Je mag haar niks sturen zonder mijn toestemming!' zei Vivi.

'Waarom niet? Je vond het laatste wat ik schreef oké!' zei Marshall.

Vivi perste haar lippen op elkaar. 'Oké, goed. Maar laat het me in elk geval eerst even lezen.'

Marshall zuchtte geërgerd. 'Zoals je wilt.'

Ze staarden samen naar het scherm. Het kostte Isabelle nogal wat tijd om terug te typen.

'Waar is ze naartoe?' wilde Vivi weten. 'Verdorie, Marshall. Je hebt haar aan het schrikken gemaakt. Waarom moest je de voorexamenklassen noemen? Jouw klas is net een wandelende horrorfilm. Waarschijnlijk denkt ze nu dat je niet goed wijs bent.'

'Het spijt me, ik wilde alleen…'

Plotseling verscheen er weer een berichtje. Vivi en Marshall hielden hun mond.

IzzyBelly: Misschien. Ik weet het niet. Het is alleen… mijn ex sms't me de hele dag al. Ik heb net weer een sms van hem gekregen. Volgens mij wil hij weer verkering met me. En ik had me altijd voorgesteld om met hem naar het gala te gaan…

'O, nee! Nee, nee, nee!' Vivi sprong overeind en grabbelde in haar volle sporttas, op zoek naar haar mobiel. Toen ze hem eindelijk gevonden had, drukte ze op sneltoets drie voor Isabelle en drukte de telefoon tegen haar oor. Ze zou dit meisje tegen zichzelf beschermen, ook al kostte het haar eigen leven.

'Wat doe je nou?' riep Marshall verbijsterd uit. Hij was ook gaan staan.

'Ik bel haar,' antwoordde Vivi, voor het bed heen en weer lopend. 'Ze mag niet gaan praten met Slettig. Echt niet.'

'Maar dat hoor je toch niet te wéten!' legde Marshall uit.

Vivi schrok zich wild, juist op het moment dat Isabelle haar telefoon opnam. Ze staarde Marshall met wijd open ogen aan, alsof ze zojuist voor de klas was geroepen zonder dat ze wist om welke vraag het ging. Wat moest ze zeggen? Waar zat haar verstand?

'Hoi, Vivi,' zei Isabelle. 'Wat wil je?'

'Eh, niks,' antwoordde Vivi met bonzend hart. 'En jij?'

59

Er was een pauze. 'Niets... jij belde mij, weet je nog?'

'O, oké. Dat is zo, hè?' improviseerde Vivi. Marshall wierp zijn hoofd in zijn nek en bedekte zijn gezicht met zijn handen. 'Eh... wat was je aan het doen?'

'Niet zoveel,' antwoordde Isabelle. Op de achtergrond hoorde ze Isabelle typen. Twee seconden later verscheen er weer een MSN-berichtje op Vivi's computerscherm. Marshall en zij staarden er allebei naar alsof het elk moment kon ontploffen.

IzzyBelly: Ben je er nog?

Vivi gebaarde naar Marshall dat hij weer moest gaan zitten en dat hij iets terug moest typen. Marshall zag eruit alsof hij aan een extreem vroege hartaanval bezig was, maar hij deed wat hem gezegd werd. Hij typte snel iets in en het toetsenbord klonk als een drilboor. Binnensmonds vloekend wierp Vivi zich op haar bed en ze krulde zich in de verste hoek van de kamer op.

'Niet zoveel, dus?' zei ze luid, in een poging om het geluid van het typen te overstemmen. 'Het klinkt alsof je op de computer bezig bent. Ben je met iemand aan het MSN'en?'

Marshall hield meteen op met typen en keek haar met een geërgerde blik aan. Aan de andere kant van de lijn zei Isabelle niets. Vivi sloot haar ogen en hield haar adem in. Wat deed ze nu weer?

'Om eerlijk te zijn... ja,' zei Isabelle uiteindelijk. 'En ik moet eigenlijk ophangen. Tenzij... was er iets waarover je wilde praten?'

'Nee. Niet echt,' antwoordde Vivi. 'Ik spreek je nog wel, oké? Doei!'

Ze drukte de telefoon uit zonder op een antwoord te wachten en zakte weer terug op haar bed, waar ze onmiddellijk in haar gezicht geraakt werd door een kussen.

'Hé!' schreeuwde ze en ze ging weer zitten om het kussen naar Marshall terug te gooien.

'Tjonge, wat ben jij een genie!' flapte Marshall eruit, ondertussen het kussen met gemak vangend. 'Daar had je ons bijna verraden! Ze had toch ook een e-mail kunnen schrijven aan iemand, of bezig kunnen zijn met een werkstuk? Wat denk je dat je bent, helderziend of zo?'

'Jemig. Rustig maar, Marshall. Ze vermoedt helemaal niks,' zei Vivi chagrijnig. Ze ging op haar zij liggen, met haar gezicht naar Marshall toe. 'Trouwens, dit was mijn idee, dus ik kan het verraden als ik dat wil.'

'En? Wat zei ze over Shawn?' vroeg Marshall. Hij legde het kussen neer en sloeg zijn armen over elkaar. Zijn spierballen zwollen enigszins op. Kennelijk had hij achter haar rug om aan fitness gedaan. Vreemd. 'Krijgen ze weer verkering?'

'Ze heeft er niets over gezegd. Brandon heeft waarschijnlijk meer kans om achter de waarheid te komen dan ik,' zei ze met een woeste blik op de computer. 'Ze weet dat ik die vent haat.'

'Dat is geweldig nieuws, Vivi. Het is leuk om te weten dat jij je vriendinnen zo van je vervreemd hebt dat ze niet meer met je willen praten over beslissingen die hun leven een andere wending kunnen geven,' zei Marshall, terwijl hij met de bureaustoel van links naar rechts draaide.

'Wat weet jij er nou van hoe het is om vrienden te hebben?' reageerde Vivi scherp.

Marshalls gezicht betrok enigszins. 'Ik heb heus wel vrienden!'

'De mensen met wie je bij Barnes & Noble werkt, tellen niet mee,' antwoordde Vivi.

'Je bent ingemeen, Viv, weet je dat?' zei Marshall. Hij stond op, griste zijn boeken bij elkaar en sloot het MSN-scherm. 'Ik maak mijn werkstuk later wel af.'

'Doei!' zei Vivi en ze liep achter hem aan om de deur achter zijn rug dicht te slaan.

Eenmaal alleen op haar kamer, besefte ze dat Marshall tot op zekere hoogte gelijk had. Ze kon er niets aan doen als Izzy weigerde om met haar over Shawn of Brandon te praten. Morgen moest ze die meid zover krijgen dat ze met haar wilde praten. Dan zou ze het haar eens en voorgoed uit haar hoofd praten om weer verkering te nemen met Shawn.

'Ik denk dat ik Shawn toch meevraag naar het gala,' verkondigde Isabelle. Ze stond midden in haar roze-met-witte Laura Ashleykamer.

'Wat? Nee!' schreeuwde Vivi en ze ging rechtop zitten op de gebloemde vensterbank.

'Ik dacht dat hij met Tricia zou gaan,' hielp Lane mee. Ze zette de basketbalbeker waarmee ze zat te spelen terug op de overvolle prijzenplank aan de muur.

'Ik denk dat ze loog. Hij zei dat ze het erover gehad hebben, maar dat hij haar niet echt gevraagd heeft,' zei Isabelle en ze trok een vies gezicht.

'Dus jullie praten weer met elkaar,' zei Vivi mat. Ze draaide zich om en legde haar voeten op het brandschone kussen. 'Geweldig.'

'We e-mailen en sms'en alleen… overwegend,' antwoordde Isabelle en ze liep naar Vivi toe om haar voeten weer naar de vloer te duwen, wat Vivi al had verwacht. 'We zijn nog bezig om naar echt praten toe te werken.'

'Ik ben bezig om toe te werken naar niet overgeven,' zei Vivi en ze keek haar vriendin woest aan.

'Dat is aardig van je. Dat helpt echt,' zei Isabelle scherp.

Gefrustreerd liet Vivi haar hoofd op haar handen zakken en

ze keek naar Lane, die op het bed met de sprei zat en zoals gewoonlijk weer eens haar tong verloren had. Als Isabelle met Shawn naar het gala ging, dan zou hij haar weer helemaal in beslag nemen en dan zouden ze de hele zomer doorbrengen met het uitmaken en weer verkering krijgen. Voor zover Vivi wist, was Shawn zelfs in staat om Isabelle ervan te overtuigen dat ze volgend jaar geen opleiding moest gaan volgen, omdat dat hun rampzalige liefdesleven zou vernietigen. Dat soort macht had hij over haar.

Isabelle liep naar haar houten bureau en ging er met haar rug tegenaan staan. Ze draaide haar zilveren ring rond en rond om haar vinger.

'Ik weet dat jullie Shawn niet mogen. Dat is overduidelijk,' begon ze. 'Maar ik kan mijn gevoelens niet veranderen. En bovendien: jullie kennen hem niet zoals ik hem ken.'

Vivi moest het kussen onder haar achterwerk stevig vastgrijpen om te voorkomen dat ze met haar ogen ging rollen. Hoe vaak had ze deze toespraak nu al gehoord?

'Zijn ouders zijn, ehm, boosaardig. Boosaardig als in *Oliver Twist*. Ze zijn zo gemeen tegen hem, daar heb je geen idee van. Ik ben alles wat hij heeft, begrijp je? Ik ben de enige persoon in de hele wereld die om hem geeft,' ratelde Isabelle, nog steeds met haar ring om haar vinger draaiend. 'Ik weet het niet… misschien is wat hij met Tricia heeft gewoon een symptoom van scheidingsangst, omdat ik volgend jaar wegga.'

'Gebruik je je psychologielessen om smoezen voor hem te bedenken?' flapte Vivi eruit.

Isabelle legde haar met een blik het zwijgen op. 'Ik bedenk geen smoezen, ik probeer het alleen te begrijpen. Hij heeft zijn excuses aangeboden. En ik weet dat ik hem niet terug zou moeten nemen.' Isabelle liet haar handen langs haar zij vallen. 'Meiden, ik denk dat hij deze keer echt veranderd is.'

Vivi snoof verachtelijk en keek de andere kant op. Hoe was het mogelijk dat het slimste meisje van de hele school zo stom was als het op jongens aankwam?

'Het komt ook omdat ik me altijd had voorgesteld om met hem naar het gala te gaan,' zei Isabelle, terwijl ze naast Vivi neerplofte op de vensterbank. 'Om me mooi aan te kleden en dan met hem te dansen...'

'Dat je het je zo had voorgesteld, wil toch niet zeggen dat het zo ook móét gebeuren?' zei Vivi vastberaden en ze keek Isabelle aan. 'Het is de bedoeling dat je erheen gaat met een jongen die van je houdt. Een jongen die respéct voor je heeft.'

Isabelles gezicht betrok. 'Ik weet dat hij van me houdt.'

'Maar hij heeft geen respect voor je,' deed Lane vanaf het bed rustig een duit in het zakje.

Vivi en Isabelle keken haar aan. Lane was de afgelopen paar minuten zo stil geweest, dat Vivi bijna vergeten was dat ze er zat.

'Het spijt me, Iz, maar een jongen die je echt respecteert en om je geeft, begint niet achter je rug om een relatie met een ander meisje,' zei Lane kalm. 'En hij ging er niet eens discreet mee om. Maar zelfs als hij dat wel gedaan had, was het nog steeds niet in de haak.'

'Jullie...'

'Ze heeft gelijk, Iz,' zei Vivi, die dankzij Lanes steun weer moed kreeg. 'Er zijn nog meer jongens. Fantastische jongens. Jongens die je niet bedriegen en vervolgens verwachten dat je ze weer terug wilt hebben. Jongens als...'

Lane sperde haar ogen wijd open en Vivi klapte haar mond dicht. Ze kon niet geloven dat ze het woord dat op het puntje van haar tong lag, bijna had gezegd. Had ze echt op het punt gestaan om Brandons naam te noemen?

'Jongens als wie?' vroeg Isabelle.

'Ik weet het niet! Als...'

Ergens in de kamer piepte iets. Isabelle stond op en liep naar haar computer. Midden op het scherm was een MSN-bericht verschenen. Vivi, Lane en Isabelle bogen zich allemaal naar het scherm toe om het beter te zien. Vivi's hart begon in haar keel te kloppen toen ze het bericht las.

Brandon: Hé, Izzy, hoe gaat-ie?

Vivi keek Lane woedend aan. Waar was Marshall in vredesnaam mee bezig? Wat moest ze doen als hij terugviel in zijn standaard nerdgedrag en begon door te zagen over het feit dat Batman de enige superheld was of zoiets?

O, Marshmallow, je bent zo ontzettend dood, dacht Vivi woest.

'Eh… wie is dat?' vroeg Lane ten slotte, met een te rustige stem.

'O… eh… niemand,' zei Isabelle snel en ze zette haar screensaver van het Vrijheidsbeeld in New York aan. 'Gewoon iemand die ik online heb ontmoet.' Haar wangen werden een beetje roze en ze beet op haar lip om niet te glimlachen. Vivi's hart sloeg nerveus een slag over. Het werkte!

'O, niemand dus? Waarom bloos je dan?' plaagde Vivi en ze gaf Isabelle een por met haar elleboog. Hoe kwaad ze op dat moment ook op Marshall was, ze was uitzinnig van vreugde dat ze Isabelles reactie uit de eerste hand te zien kreeg.

Ik weet het niet… Hij is… hij is lief. Maar het is niets. Ik bedoel, het is belachelijk,' zei Isabelle en ze tilde het haar in haar nek op, alsof ze door er alleen al aan te denken oververhit raakte. 'We hebben gewoon met elkaar gepraat. Dat is alles.'

'Geflirt, bedoel je,' zei Vivi en ze maakte een beweging met haar arm alsof ze de muis wilde pakken om Brandon zelf te leren kennen.

'Misschien wel,' zei Isabelle schouderophalend en ze liet de glimlach eindelijk op haar gezicht verschijnen. Met een snelle beweging ging ze tussen Vivi en de computer in staan.

'Je bent vreselijk verliefd op hem!' zei Lane en ze zag er stomverbaasd uit.

'Dat is nonsens. We hebben elkaar online ontmoet.' Er klonk weer een piepje en Isabelle kromp ineen. 'Ik moet even terugschrijven. Ogenblikje.'

Ze trok haar stoel naar zich toe en ging zitten, waardoor ze Vivi dwong om een stap achteruit te doen. Die slaagde erin om dicht genoeg in de buurt te blijven om te zien wat Izzy en Marshall typten.

IzzyBelly: Ik ben even druk. Sorry. Kan ik straks met je MSN'en?

Brandon: Tuurlijk. Vroeg me alleen af hoe het gaat met het gala. Heb je al iemand gevonden die het waard is om mee te gaan?

Isabelle giechelde voordat ze antwoord gaf. Vivi hield haar adem in om te kunnen zien wat ze ging zeggen.

IzzyBelly: Ben er nog mee bezig. Hou je op de hoogte.

Shawn werd niet genoemd. Dat moest iets betekenen – Isabelle vertelde haar online liefde niet over een mogelijke date met haar ex. Het moest wel betekenen dat een deel van haar nog steeds hoopte op iets beters – dat er nog steeds een mogelijkheid bestond dat ze dit konden oplossen. Maar hoe?

Isabelle zette haar screensaver weer aan en stond op. 'Waar hadden we het over?' vroeg ze verward.

'Het gala,' hielp Lane haar met een grote grijns.

'O ja, dat is ook zo.' Isabelle schudde haar hoofd en keek naar het raam, nog steeds glimlachend. Ze was nog steeds opgetogen over de vier regeltjes die uitgewisseld waren tussen haar en Brandon. Het laatste wat Vivi nu wilde doen was de conversatie weer op het gala en Shawn brengen en wegvoeren van Izzy's nieuwe liefde.

'Moet je jou zien. Ik heb je niet meer zo gezien sinds je een handtekening kreeg van Dwayne Wade,' zei Vivi gelukkig. 'Deze Brandon-figuur maakt je net zo in de war als Dwayne.'

Isabelle lachte en sloeg haar armen over elkaar. 'Haha. Jammer dat ik hém niet mee kan nemen naar het gala.'

Vivi had het gevoel alsof er een emmer ijswater over haar hoofd werd uitgestort. Iedere zenuw in haar lijf tintelde. Waarom had ze hier niet eerder aan gedacht?

'Zeg, Iz? Ik heb nogal erge trek. Mogen Lane en ik de koelkast plunderen?' zei Vivi plompverloren, haar stem veel harder dan anders. Lane keek Vivi onderzoekend aan, maar verborg haar verbazing snel toen Izzy haar aankeek.

'Tuurlijk,' zei Izzy schouderophalend. 'Ik denk dat er nog wat broodjes over zijn van de goededoelenavond die mijn ouders pas gehouden hebben.'

'Perfect!' zei Vivi met een grijns. Ze trok Lane aan haar arm mee en sleurde haar de gang door.

'Au! Vivi! Wat is er toch?' zei Lane, terwijl ze zich aan Vivi's greep ontworstelde.

'Ik kreeg zojuist een absoluut briljant idee!' fluisterde Vivi geheimzinnig.

Lane keek haar even aan en liet haar schouders hangen. 'Waarom krijg ik hier een slecht voorgevoel bij?'

'Dat is niet nodig! Echt niet! Het is het allergeniaalste, briljantste, perfectste idee dat ik ooit gehad heb!' beloofde Vivi haar. 'Zelfs jij zult mijn genialiteit niet kunnen ontkennen.'

Lane haalde diep adem. 'Goed dan,' zei ze met tegenzin. 'Kom maar op.'

6

'Dat méén je niet!' riep Lane een uur later uit, terwijl ze op de passagiersplaats van Vivi's Jetta cabriolet zat. Het was een prachtige zonnige voorjaarsmiddag. Kinderen waren aan het hinkelen op hun oprit, op de trottoirs waren moeders aan het snelwandelen, op het verlaten parkeerterrein van de oude rolschaatsbaan was een stel middelbare scholieren trucs op hun BMX'en aan het doen. Het was het soort dag waarop Lane het normaal gesproken heerlijk vond om met open dak rond te toeren en te genieten van de gezellige ouderwetse sfeer van hun woonplaats. Helaas maakten Vivi en haar krankzinnigheid dat zo goed als onmogelijk. 'Wil je werkelijk een jongen inhuren om Brandon te spelen en Isabelle mee te nemen naar het gala?'

'Waarom niet? Het is een perfect plan!' antwoordde Vivi. Haar blonde haar wapperde onder het rijden om haar hoofd. 'Brandon is perfect voor haar. Wat is een betere manier om haar gedachten van Shawn af te leiden dan voor haar een afspraakje te regelen met een jongen die perfect voor haar is?'

Lane staarde Vivi aan. Had ze eindelijk een breakdown? Eén

plannetje te veel en nu was ze de grens naar totale gekte gepasseerd.

'Ja. Eén probleempje: Brandon bestaat niet echt!' Lanes stem werd met elk woord wat harder, terwijl ze haar eigen haar naar achter hield om te voorkomen dat het in haar ogen waaide.

'Nou en? We hebben er geen foto bij gezet. We kunnen iedereen vragen om hem te spelen!' zei Vivi ontspannen.

'Juist ja. En waar vinden we een jongen van onze leeftijd die naar ons gala wil? O, en die Isabelle nog nooit heeft ontmoet?' vroeg Lane, terwijl Vivi hun met bomen omzoomde straat in reed.

'Op een andere school,' antwoordde Vivi en ze tilde haar hand op van het stuur. Alsof het volkomen logisch was.

'En hoe krijgen we hem ook alweer zover dat hij wil doen alsof hij een verzonnen jongen is met de naam Brandon?' vroeg Lane, die nu één hand gebruikte om haar haar uit haar gezicht te houden en de andere om haar ogen tegen de zon te beschermen.

'We betalen hem ervoor!' zei Vivi.

'Waarmee?'

'Ik heb nog geld van mijn baantje als strandwacht afgelopen zomer,' deelde Vivi haar mee. 'Dat moet genoeg zijn om één date voor het gala te kopen.'

'Kom op. Wat voor jongen wil zoiets voor een klein beetje geld doen?'

Vivi keek haar van opzij aan. 'Alsjeblieft, zeg. Kijk maar naar Curtis! Wat zou die jongen níét doen voor wat extra geld voor zijn Xbox?'

Lane zuchtte verslagen. Curtis had eens voor zijn buurvrouw een hele dag op haar meisjestweeling van twee gepast om het nieuwe Tony Hawk-spel te kunnen kopen. Hij was thuisgekomen met een hap uit zijn haar, appelmoes op zijn neus en overal op zijn armen paarse strepen van een markeerstift, maar hij had bij hoog en bij laag beweerd dat dat het waard geweest was.

'Oké, maar als we eenmaal een jongen gevonden hebben, moet hij alles uit zijn hoofd leren wat we over Brandon verzonnen hebben,' zei Lane, toen Vivi voor haar huis stopte. 'Hoe gaan we hem dat allemaal leren?'

'Alsjeblieft zeg. Het gala is pas over bijna drie weken!' zei Vivi blij en ze draaide zich naar Lane toe, terwijl ze de motor stationair liet draaien. 'We hebben tijd genoeg. Bovendien kan Curtis ons helpen. Het is misschien wel goed om vanaf nu zo veel mogelijk tijd met hem door te brengen,' slijmde Vivi met een sluwe uitdrukking op haar gezicht. 'Misschien kun je iets laten vallen over het feit dat jij de volmaakte galadate bent...?'

Lane leunde met haar hoofd tegen de hoofdsteun en kreunde. Waarom was Vivi toch zo vreselijk vasthoudend? En waarom, waarom moest ze Lane altijd bij haar plannetjes betrekken? Alsof Lane haar handen niet vol had aan haar eigen leven. Hoewel, het idee om Curtis erbij te betrekken maakte het iets aantrekkelijker...

'Kom op, Laney,' smeekte Vivi. 'We kúnnen Isabelle niet met Shawn naar het gala laten gaan. Dan wordt het weer net als op haar Sweet Sixteenfeest.'

Bij de gedachte daaraan kreeg Lane een brok in haar keel. Isabelles Sweet Sixteenfeest had het feest van het jaar moeten worden en van Shawn werd verwacht dat hij daarbij een belangrijke rol zou spelen. In die tijd waren Izzy's ouders nog niet zo vertrouwd met Shawn als nu en ze hadden Isabelles cadeau, een nieuwe auto, aan zijn zorgen toevertrouwd. Het was de bedoeling dat hij hem naar de zaal zou rijden waar het feest gehouden werd. Helaas had Shawn besloten er eerst mee te gaan joyriden en hij reed, terwijl hij op de satellietradio naar een geschikte zender zocht, in volle vaart achter op de bumper van een lesauto. Hij begon uit te varen tegen de rijinstructeur, totdat hij zag dat de man het nummer van de auto noteerde, waarna hij er gauw vandoor ging en Izzy's auto onbeheerd achterliet op een parkeerplaats. Het kwam erop neer dat Shawn nooit op kwam dagen, dat de auto in beslag genomen werd voordat Isabelle hem ooit te zien kreeg, dat de politie naar het feest kwam om Isabelles ouders in te lichten en dat voor Izzy de avond in tranen geëindigd was.

'Ik kan nog steeds niet geloven dat ze hem dat vergeven heeft,' zei Lane treurig.

'Tja, het was een "ongelukje",' zei Vivi sarcastisch en ze maakte met haar handen twee aanhalingstekens in de lucht. 'Hij hoefde zichzelf alleen maar tot slachtoffer te bombarderen en hup: onmiddellijke vergeving.'

Lane keek naar haar handen. Hoe krankzinnig Vivi's plan ook was, het was te verkiezen boven te moeten aanzien dat Isabelles hart opnieuw gebroken zou worden.

Lane zuchtte en keek Vivi aan. 'Oké, stel nu dat ik ja zeg…'

'Yes!' juichte Vivi en ze klapte in haar handen.

'Ik heb het nog niet gezegd!' zei Lane haastig. Ze vermeed het om Vivi aan te kijken en keek door de ruit naar buiten. 'Maar stel dat ik dat zou doen. Waar vinden we dan een perfecte, coole jongen als Brandon?'

Vivi glimlachte langzaam en de moed zonk Lane in de schoenen. Ze had kunnen weten dat deze meid overal een antwoord op wist.

'Waar gaan de perfectste jongens in het gebied rond New York naar school?'

Lane ontdekte dat ze plotseling zelf ook een brede glimlach op haar gezicht kreeg. Vivi wás geweldig.

'Het Saint Paul's Gymnasium.'

Vivi wierp de deur van haar slaapkamer open. Marshall schrok zo dat hij achter de computer vandaan sprong en de stoel omgooide.

'Jemig! Zit je nóg met haar te praten?' wilde Vivi weten en ze liep door de kamer naar het computerscherm. Marshall stak zijn hand uit naar de muis in een poging om het venster te sluiten, maar Vivi was hem te snel af. Ze griste hem naar zich toe en Marshall liep een paar stappen achteruit. Inderdaad stond er een MSN-venster open en Isabelle was bezig met een antwoord. 'Dit is niet te geloven!' schreeuwde Vivi tegen Marshall. 'Je mag niet met haar praten als ik er niet ben.'

Marshalls mond ging een paar keer open en dicht terwijl hij naar woorden zocht. 'Hoe weet je…?'

'We waren bij haar toen er plotseling een berichtje van Brandon op het scherm verscheen,' zei Vivi. Ze trok haar trui met het opschrift RUTGERS UNIVERSITY over haar hoofd en trok het zwarte T-shirt eronder naar beneden. 'Ik was zo verbaasd dat ik bijna over de rooie ging en de hele zaak had verraden.'

Marshall stak zijn handen onder zijn oksels. 'Kon je… eh… zien wat we elkaar schreven?'

'Daar gaat het niet om! Het is de bedóéling dat ik zie wat je schrijft,' riep Vivi. Ze bukte zich om haar stoel weer overeind te zetten. 'Je mag niet met haar praten als ik er niet bij ben!'

'Waarom niet?' vroeg Marshall.

'Daarom niet! Wat als je… ik weet niet… iets zegt wat in tegenspraak is met wat wij bedacht hebben?' vroeg Vivi. Ze trok het elastiekje uit haar paardenstaart en borstelde haar haar achterover om er weer een staart van te maken.

Marshall volgde haar met zijn ogen terwijl ze door de kamer liep, met een sceptische uitdrukking op zijn gezicht. 'Zoveel is het niet en het staat allemaal op zijn homepage,' zei hij. 'Dat kan ik nog wel verzinnen.'

'Heb je niets beters te doen dan als een fictieve persoon te praten met mijn beste vriendin?' vroeg Vivi, terwijl ze zich plotseling naar hem toe draaide. Daar dacht ze een halve seconde over na. 'Laat maar... ik weet het antwoord al.'

'Jij bent degene die me vroeg of ik je hiermee wilde helpen,' zei Marshall verontwaardigd. Hij pakte zijn blikje frisdrank van het bureau en liep naar de deur. 'Als de manier waarop ik het doe je niet aanstaat, dan kan ik er maar beter mee stoppen.'

'Nee!' bracht Vivi in paniek uit. 'Je kunt er nu niet mee ophouden.'

Marshall stond stil en keek haar met opgetrokken wenkbrauwen aan. 'Waarom niet?'

'Nou, we willen niet dat ze denkt dat je je belangstelling verloren hebt,' zei Vivi, stevig balend dat ze op haar knieën moest voor Marshall. 'Je moet ermee doorgaan – in elk geval tot we iemand gevonden hebben die Brandon kan spelen.'

'Brandon spelen?' vroeg Marshall; hij zag ineens een beetje bleek.

'Ja. We gaan iemand inhuren die gaat doen of hij Brandon is en die Isabelle meeneemt naar het gala,' legde Vivi gehaast uit. Ze pakte de borstel weer van haar ladekast en haalde die nerveus door haar paardenstaart. 'Snap je, zodat ze niet met Slettig gaat.'

Marshalls mond viel open en hij liep naar Vivi's ladekast. 'Ben je gek geworden? Je laat je beste vriendin naar het gala gaan met een nepdate?'

'Het is wel een echte jongen,' antwoordde Vivi vinnig, terwijl ze het haar naar haar andere schouder veegde om de uiteinden door te borstelen. 'Ik ben geen robot aan het bouwen of zo.'

'Er is geen enkel verschil!' zei Marshall en hij zette zijn frisdrank op de houten kast. 'Waar denk je deze persoon te vinden?'

Vivi's zenuwen begonnen aan de kook te raken en ze legde de borstel met een klap neer. 'Gebruik een onderzetter, loser!' Ze gooide het blikje frisdrank bijna terug naar Marshall en keek snel of er geen vochtige afdruk was achtergebleven. 'Ik weet het niet. Ergens,' antwoordde ze. 'We denken er eerlijk gezegd over om naar Saint Paul's Gymnasium te gaan.'

Marshall maakte een geïrriteerd geluid dat haar alleen maar meer ergerde. 'Dus je gaat zomaar een jongen van de straat plukken? Wat doe je als hij een geestelijk gestoorde moordenaar blijkt te zijn?'

'Knul, je hebt te veel boeken over Hannibal Lecter gelezen,' antwoordde Vivi. 'Denk je niet dat ik slim genoeg ben om te voorkomen dat ik een of andere idioot inhuur?'

'Nee. Echt niet.' Marshall draaide zich om en liep de deur uit. 'Ik kan dit niet doen. Haar over een verkering die uitgaat heen helpen, dat gaat nog, maar jongens inhuren om haar mee uit te nemen? Dat vind ik pooiergedrag.'

Vivi rende haar kamer uit en volgde hem door de gang naar zijn kamer. Onderweg viel haar ineens zijn spijkerbroek op. Zijn splinternieuwe, donkere, soort van versleten, totaal coole spijkerbroek.

'Hé, hoe kom je daaraan?' vroeg Vivi en wees ernaar, terwijl ze tegen zijn deurpost leunde.

Marshall keek naar beneden. 'Het winkelcentrum,' zei hij. 'Wil je me nu alsjeblieft alleen laten?'

Een deel van Vivi wilde Marshall nog wat meer uithoren over alle veranderingen die zomaar uit de lucht kwamen vallen. Het nieuwe kapsel, de nieuwe spijkerbroek, de gespierde armen. Maar er waren belangrijkere details die om aandacht vroegen.

'Nee, dat wil ik niet,' protesteerde Vivi. 'Kom op, Marshall. Je kunt er niet nu mee stoppen! Hoe wil je dat doen? Haar laten zitten?'

Marshall liet zich op zijn bed vallen en bracht zijn handen naar zijn slapen, alsof hij een knallende hoofdpijn had. 'Ik hoef haar niet te laten zitten. Jij kunt vanaf nu met haar praten.'

Vivi dacht hier even over na, maar ze wist dat dit nooit zou werken. Zelfs als ze het probeerde zou ze nooit als Marshall klinken.

'Nee, dat kan ik niet. Je hebt al een hele relatie met haar opgebouwd. Ik heb geen idee waar jullie over praten. Wat moet ik doen als ze verwijst naar iets wat jij gezegd hebt en ik geen idee heb waar het over gaat? Bovendien, ik heb nu geen tijd. Ik moet een jongen vinden en hem leren om Brandon te zijn!'

'Vivi…'

'Marshall, jij bent degene die haar daarginds helemaal dweperig en sentimenteel heeft gemaakt. Je kunt ons nu niet in de steek laten,' smeekte Vivi, met één hand tegen de deurpost leunend.

'Is dat zo?' vroeg Marshall en hij tilde zijn hoofd op.

'Is wat zo?' vroeg Vivi verwonderd.

'Haar dweperig en sentimenteel gemaakt?' vroeg hij. 'Werkt het echt?'

Vivi rolde met haar ogen en stak haar handen op. 'Ja. Gefeliciteerd! Je bent een virtuele Romeo. En als je je nu terugtrekt, zul je haar hart opnieuw breken. Niet dat dat jou iets kan schelen.'

Marshall ging overeind zitten en kruiste zijn benen. Hij sloeg een paar keer met zijn vuist op zijn knie en glimlachte. 'Goed. Ik doe het,' zei hij uiteindelijk en hij zag er wat nerveus uit.

'Yes!' juichte Vivi en ze maakte in de deuropening een rondedansje. 'Dank je.'

Ze rende naar het bed en gaf hem een snelle knuffel, maar hij duwde haar van zich af en keek haar recht aan. 'Maar als ik jou over dertig jaar moet opsluiten in een gekkengesticht, wil ik hier geen problemen mee krijgen,' zei hij.

Vivi lachte en stak haar rechterhand op. 'Dat beloof ik.'

7

'Ik doe mee,' zei Curtis en hij knikte, toen ze de volgende dag buiten Westmont High stonden.

Lanes mond viel open van verbazing. 'Je doet mee. Zomaar. Je hebt geen problemen met dit totaal geschifte plan en je wilt nu meteen met ons mee naar Saint Paul's om jongens te vinden.'

'Waarom niet? We doen het toch voor Isabelle?' vroeg Curtis schouderophalend. Hij zette zijn Oakley-zonnebril op en begon de heuvel af te lopen, in de richting van de parkeerplaats. Lane en Vivi wisselden een verbaasde en geamuseerde blik.

'Curtis, ben je homo?' vroeg Vivi, terwijl ze begonnen te rennen om hem in te halen.

'Vivi?' zei Lane lachend.

'Eh, nee. Maar gewoon uit nieuwsgierigheid: waarom vraag je dat?' zei Curtis.

'Wat? Het zou heel veel verklaren,' legde Vivi uit. 'Je bereidwilligheid om met ons mee te gaan als we jongens gaan keuren, het feit dat je nog nooit een vriendin gehad hebt, het feit dat je nog geen date hebt voor het gala,' zei ze nadrukkelijk.

Lane bloosde en keek naar de grond. Kon Vivi nog minder subtiel zijn?

'Eén, ik help jullie alleen met je plan,' zei Curtis en hij hield één vinger omhoog. 'Twee, ik heb nog nooit een vriendin gehad omdat ik erg hoge eisen stel, en drie, volgens mij hebben jullie ook nog geen van beiden een date voor het gala.'

Vivi fronste onmiddellijk haar wenkbrauwen. 'Hmm. Klopt.'

Ze kwamen bij Vivi's Jetta en Curtis sprong over de zijkant op de achterbank. 'Au. Verdorie. Kun je hier nog meer rotzooi bewaren, Vivi?'

Hij trok een fles gel onder zijn achterwerk vandaan en gooide hem bij zijn voeten op de vloer.

'Rustig aan, Meneer met de Hoge Eisen. Ik vertel jou ook niet hoe je jouw auto moet onderhouden,' zei Vivi. Ze kroop achter het stuur en zwaaide haar blonde haar over haar schouder naar achteren.

'Dat komt omdat ik geen auto heb. Maar als ik er een had, zou je het wel doen,' beweerde Curtis en hij nam een grote teug uit zijn waterfles.

Lane lachte, terwijl ze hem het lege doek gaf dat ze mee naar huis nam voor een nieuw schilderij en hij zette het voorzichtig naast zich op de achterbank.

'Dus, wat is het plan ook alweer?' vroeg Lane, terwijl ze instapte. Ze had het een beetje benauwd en haar handpalmen begonnen al zweterig aan te voelen. Ze durfde al nauwelijks te praten tegen de jongens op haar eigen school – jongens die ze sinds de kleuterschool kende – laat staan tegen al die perfecte jongens van het Saint Paul's Gymnasium en hun volmaaktheid.

'Het kost ongeveer twintig minuten om er te komen, dus het moet lukken om er een stel op te vangen als ze van de training of van hun clubbijeenkomsten komen,' zei Vivi en ze startte de motor. 'Grijp de eerste de beste leuke jongen die je ziet in zijn kraag, vertel hem dat je hem een ongelooflijk voorstel wilt doen en verkoop dat dan aan hem.'

Lane knikte en haalde diep adem. 'Gewoon verkopen.'

'Gaat het?' vroeg Vivi en ze keek Lane aan, terwijl ze haar gordel vastmaakte. 'Je ziet een beetje bleek.'

'Het gaat prima.' Lane legde haar elleboog op het portier van de auto. 'Laat we er maar gewoon op af gaan.'

'Dat doen we!'

Vivi draaide haar auto uit het parkeervak. Ze zaten een paar minuten vast in een file naar de uitgang van de parkeerplaats en Curtis begon met zijn handen op de rugleuning van hun stoelen te trommelen. Lane zag dat Vivi's handen het stuur steviger vastgrepen en ze wist dat haar vriendin ongeveer vijf seconden af was van een geweldige uitval aan zijn adres.

'Dus er was vandaag geen basketbal?' vroeg Lane aan Curtis en ze draaide zich om op haar stoel om hem aan te kijken. Ze moest haar hand boven haar ogen houden tegen de zon.

'Ze spelen wel, maar ik heb er genoeg van. Jeff is veel te fanatiek. Zag je het blauwe oog dat Lewis Richards vandaag had?' vroeg Curtis. Hij leunde naar voren en legde zijn armen op zijn knieën.

'Ja. Het zag er lelijk uit,' zei Lane.

'Dat kwam door Jeff met zijn smerige overtredingen,' antwoordde Curtis en hij leunde plotseling achterover alsof hij zich ergerde. 'Ik hou van mijn gezicht zoals het is, dank je wel.'

Ik ook, dacht Lane. Ze trok haar haar over haar schouder en draaide zich weer naar voren, zodat Curtis niet zag dat ze bloosde.

'Dus, Curtis, even serieus. Waarom heb je nog niemand meegevraagd naar het gala?' vroeg Vivi ineens uit het niets.

'Jee! HFG!' kreunde Curtis.

'Curtis!' wees Vivi hem terecht.

79

'Sorry! Het Feestelijke Gala!' herstelde Curtis. 'Het is het enige waar iedereen nog over praat. Alsof er niets anders aan de hand is in de wereld. Ik zou er heel wat voor over hebben om één goed gesprek over de opwarming van de aarde te voeren,' grapte hij. Hij sloeg zijn armen over elkaar en keek naar buiten. 'Weet een van jullie al met wie je erheen wilt?'

'Nee,' zei Lane. Haar hart ging er zo mee ophouden. Dat moest wel. Dit krankzinnige tempo kon het niet volhouden.

'Ik denk erover om single te gaan,' zei Vivi.

'Meen je dat?' vroeg Lane en ze keek Vivi aan. Dat was nieuw voor haar.

'Dat is dapper,' voegde Curtis eraan toe.

'Tja, nou ja, onze school heeft een gebrek aan jongens om een date mee te hebben,' zei Vivi en ze draaide Essex Road op, de brede weg die Westmont met de omliggende plaatsen verbond. 'En ik ben absoluut niet van plan om de hele avond op een willekeurige ingehuurde date te passen.'

'Precies! Ik wil erheen met iemand die cool is, snap je? Iemand die gewoon in staat is om te relaxen en plezier te maken en die de hele toestand niet zo serieus neemt,' zei Curtis.

Wat denk je van mij? dacht Lane met bonzend hart. Ik kan relaxen en plezier maken!

'Heb je iemand in gedachten?' vroeg Vivi en ze keek vanuit haar ooghoek naar Lane. Lane voelde zich niet op haar gemak en ze wilde dat ze op dit moment ergens anders was dan hier. Waarom kon Vivi het niet gewoon laten rusten?

'Nou, er is wel een meisje...,' zei Curtis. 'Maar ik weet het niet. Ik denk niet dat ze ooit met mij mee zou willen.'

Vivi keek onzeker, medelijdend, naar Lane. Lane had het gevoel dat de hele wereld stilstond, terwijl de bomen en brievenbussen langs bleven flitsen. Alsof ze er niet echt bij was. Curtis had een meisje in gedachten. Hij was verliefd op iemand. Iemand die hij als onbereikbaar beschouwde. Met andere woorden: zij was het niet. Niet Lane. Natuurlijk dacht hij niet aan Lane. Waarom zou hij? Ze was een vriendin van hem. Zijn buurmeisje. Letterlijk *the girl next door*. Het meisje dat zijn fiets mee naar huis nam. Waarom had ze zichzelf ooit toegestaan om te denken dat hij haar als iets meer dan dat zou zien?

'Wie is ze?' wilde Vivi weten.

'Je kent haar niet,' antwoordde Curtis.

Ik moet overgeven, dacht Lane en ze keek of er tussen de rommel bij haar voeten iets lag wat dienst kon doen als kotszakje.

'Kom op, wie is het?' probeerde Vivi hem te overreden, waarschijnlijk omdat ze dacht dat Lane het wilde weten. Nou, dat had Vivi mis. Lane zou liever haar trommelvliezen eruit trekken dan praten over de droomdate van Curtis.

'Vivi, hij wil het ons niet vertellen. Hou er maar over op,' zei Lane zacht.

Vivi wierp een blik op Lanes bleke gezicht en beet op haar tong. 'Best,' bromde ze.

'Oké! Dus! Nieuw onderwerp!' kondigde Curtis aan, zich van geen kwaad bewust. 'Wat zoeken we precies in een Brandon?'

Vivi bracht Curtis op de hoogte, doorratelend over de coolheidsfactor en over smeulende kwaliteiten. Lane staarde ondertussen uit het raam en probeerde haar ademhaling onder controle te krijgen.

Het is voorbij. Hij wil je niet, zei ze tegen zichzelf en ze probeerde het te accepteren. Nu weet je het tenminste en kun je andere wegen inslaan. Maar haar logica hielp niet tegen de pijn in haar hart en liet de tranen die achter haar ogen brandden niet verdwijnen.

Op de een of andere manier was het een stuk prettiger geweest om het nog niet te weten.

'Eh. Zo knap is ze nu ook weer niet,' zei Tandenrijk Blond Stuk tegen Vivi, terwijl hij een achteloze blik op Isabelles foto wierp. Hij had het voorgeschreven uniform aan van Saint Paul's Gymnasium – lichtblauw overhemd, donkerrood-met-blauwgeruite stropdas en donkerrood jasje boven een zandkleurige broek. Maar omdat het na schooltijd was, was de stropdas losgetrokken en hing het overhemd uit de broek. Vivi was van mening dat hij er behoorlijk sexy uitzag, tot het moment waarop hij de volmaakte schoonheid van haar beste vriendin terzijde had geschoven alsof ze een trol was. 'Jíj daarentegen…' voegde hij eraan toe, terwijl hij Vivi van top tot teen bekeek.

Vivi rolde ongeduldig met haar ogen. Hoe kon het toch dat jongens, die op een antieke school zaten met alleen maar bakstenen gebouwen en zo goed als geen oestrogeen, veranderden in egocentrische figuren? Over haar schouder zag ze dat Curtis en Lane zich hadden teruggetrokken op een bankje in het midden van het zonovergoten vierkante plein. Ze zagen er geen van beiden bepaald gelukkig uit.

'Ik heb daarentegen de zwarte band in karate,' loog Vivi en ze deed een stap achteruit om de snel naderende jongen te ontwijken. 'Dus als je ook maar enigszins geïnteresseerd bent in het behoud van je vermogen om je voort te planten, dan loop je nu meteen weg.'

Tandenrijk Blond Stuk trok een misprijzend gezicht en liep weg. 'Freak.'

'Loser,' riep ze hard. Toen stak ze de foto van Isabelle in haar zak en slenterde naar haar vrienden. 'Niet gelukt?' vroeg ze, terwijl ze aan Curtis' rechterkant neerplofte.

'Nee. Alle jongens met wie ik gepraat heb, dachten óf dat ik bij een of andere sekte hoorde óf dat ik hen voor de gek hield,' zei Lane en ze zakte nog verder onderuit op het bankje.

'Ik had verwacht dat haar foto wonderen zou doen, maar ze

dachten allemaal dat ik een nepfoto liet zien. Alsof het niet mogelijk is dat een meisje dat zo mooi is als Isabelle geen date kan vinden voor het gala.' Curtis zuchtte teleurgesteld. 'Waar natuurlijk wel wat in zit.'

'Dit is belachelijk,' zei Vivi. Ze schoof met haar gympen heen en weer door het zand aan de voet van het bankje. 'We moeten iemand vinden.' Ze kreeg een groepje lange jongens van het type basketballer in het oog, die in de richting van de parkeerplaats sloften, en maakte een hoofdbeweging in hun richting. 'En zij?'

'Te scharminkelig,' antwoordde Curtis. 'Shawn is een gespierde vent.'

'Hij dan?' vroeg Lane en ze wees naar een jongen die onder het lopen met zijn hoofd bewoog op de maat van zijn iPod.

'Geen kin,' wierp Curtis tegen.

'Wacht eens even! Volgens mij hebben we daar een topper!' kondigde Vivi aan en ze ging wat meer rechtop zitten.

Over het pad kwam een lange, breedgebouwde jongen met sluik blond haar op hen af lopen – hij leek sprekend op Shawn. Hoewel het nog vroeg in het seizoen was, was hij prachtig gebruind, dus hij was waarschijnlijk een van die bevoorrechte mensen die voortdurend met zijn ouders op vakantie ging naar het Caribisch gebied. Of hij ging skiën in Aspen. Hij liep met een leraar te praten en hij gedroeg zich vol zelfvertrouwen.

'Dat is een mooie jongen,' zei Curtis en hij ging rechtop zitten.

Vivi en Lane keken Curtis allebei geamuseerd aan.

'Wat is er? Ik voel me totaal op mijn gemak bij mijn seksuele geaardheid,' zei hij. 'Voldoende op mijn gemak om te kunnen vertellen dat die jongen Isabelle fysiek gezien waard is.'

Lane en Vivi schoten in de lach. De jongen in kwestie kwam dichterbij.

'Goed. Ik ga erop af,' zei Vivi en ze stond op.

Jeetje, van dichtbij was hij nog knapper. Zijn ogen waren aquamarijnblauw. Ze stond op het punt om de conversatie te onderbreken toen de jongen lachte om iets wat de leraar zei. Kakelde, liever gezegd. Hij explodeerde als een hyena met hondsdolheid. Vlak voor Lane klapte hij dubbel en haalde met diepe, piepende teugen adem. Vivi deed een stap achteruit; ze was bezorgd dat hij een aanval kreeg van het een of ander. Het was het afschuwelijkste geluid dat ze ooit gehoord had.

Toen hij eindelijk weer rechtop stond en verderliep, nog steeds naar adem happend, was Vivi nog met stomheid geslagen. Toen hij haar voorbijliep, kon ze zich van zeer dichtbij hoogstpersoonlijk op de hoogte stellen van zijn 'Caribische kleur'. Die was zo ongeveer oranje. Ze keek stomverbaasd naar haar vrienden.

'Had hij make-up op?' vroeg Curtis triomfantelijk.

'Volgens mij was dat bruiningsspray,' antwoordde Lane. 'Hoe oppervlakkig kun je zijn?'

'Oké, dat was eng,' zei Vivi en ze raapte haar postbodetas op. 'Laten we in vredesnaam weggaan. Deze school deugt niet. Ik ben al mijn respect kwijtgeraakt voor de mystiek van het Saint Paul's Gymnasium.'

'Ik ook. Deze jongens zijn niet echt knap,' was Lane het met haar eens en ze stond ook op.

'Nou, ze zijn wel knap, maar ze deugen niet,' corrigeerde Vivi. 'Kom op, laten we wat gaan eten en nieuwe plannen gaan maken.'

'Dit is een lekkere pizza,' zei Marshall vrolijk, kauwend op zijn derde punt met peperoni.

'Fijn dat je het lekker vindt. We hebben zes dollar van je te goed,' gromde Vivi. Ze verfrommelde haar servet en gooide hem in de openstaande pizzadoos op de keukentafel. Vivi hoorde hoe haar moeder boven Curtis onderschepte op de terugweg van de wc en met hem praatte over de audities die de Starlight Company hield voor hun productie van *Bye Bye Birdie.*

'Mam! Laat hem met rust! Hij wil niet meedoen met je musical!' riep Vivi met haar hoofd in haar nek.

'We zijn gewoon even aan het praten, liefje!' zong Vivi's moeder.

Maar ze liet de arme Curtis gelukkig gaan, die zich enkele seconden later weer bij hen voegde. 'Je moeder is AHG.'

'Ja, dat zal wel,' antwoordde Vivi en ze nam een slok van haar Pepsi. In elk geval wist ze dat AHG 'Absoluut Heel Grappig' betekende. Ze raakte steeds meer gewend aan de vreemde taal die Curtis gebruikte. 'Het spijt me.'

'Ze is gewoon een moeder,' zei Marshall luchtig en hij kauwde verder op zijn pizzapunt.

'Waarom heb jij zo'n goed humeur?' vroeg Vivi aan haar broer.

Marshall haalde zijn schouders op en glimlachte onder het kauwen. 'Zomaar. Lekkere pizza. Fijne dag. Dat is het wel zo'n beetje.'

Over de tafel keek Vivi naar Lane. Haar broer gedroeg zich alsof hij een pepmiddel geslikt had. Iets krachtigers dan pizza met peperoni en Pepsi.

'Zo. Geen Brandons op Saint Paul's Gymnasium, dus?' vroeg Marshall en hij stak zijn hand uit naar zijn glas drinken. 'Wat jammer. Ik bedoel, als jullie daar geen gewillig slachtoffer kunnen vinden…'

'Daar heeft hij een punt, Viv,' zei Lane en ze ging naar voren zitten op haar plastic stoel. 'Saint Paul's is het mekka voor knappe jongens in het gebied rond New York. Misschien is de tijd gekomen om…'

Vivi stak haar hand op. 'Maak die zin niet af. We geven niet op. We hebben net alleen een beetje tegenslag gehad.'

Lane zakte ineen en ze leunde met haar hoofd op haar hand. 'Ik voelde al aankomen dat je dat ging zeggen.'

'Kom op, jongens, denk na!' zei Vivi en ze stond op. Ze beende naar de plank aan de muur waarop al haar moeders kitscherige peper- en zoutstelletjes stonden en speelde ermee. Aardewerken cacteeën uit Arizona, een stel glazen uilen, de Eiffeltoren en de Notre Dame. 'Waar kunnen we verder nog leuke jongens vinden die Isabelle nog nooit ontmoet heeft? Ze moeten toch ergens zijn.'

'We zouden een andere school kunnen proberen,' stelde Lane weifelend voor.

'Neu. Als we vandaag iets geleerd hebben, dan is het wel dat het veel te maf is om als vreemdelingen middelbare schooljongens te benaderen met een voorstel als het onze,' zei Curtis, kauwend op een stuk pizzakorst.

'Precies.' Vivi liep aan de andere kant van de tafel heen en weer en pijnigde haar hersens. 'We moeten buiten de kaders durven denken. Op welke manier vinden mensen nog meer een date?'

'Match punt com?' stelde Marshall voor.

'Geen tijd voor,' antwoordde Vivi. 'Wat we moeten vinden is een jongen die in is voor alles. Iemand die snel geld nodig heeft. Iemand die geen moeite heeft met het idee dat hij zichzelf totaal voor gek zet.'

'Jammer dat we mijn moeder niet om hulp kunnen vragen,' zei Lane. 'Wanneer een van haar beroemde klanten zijn imago wil oppoetsen, dan houdt ze een kijkmiddag en dan zoekt ze een cool model uit met wie hij uit kan gaan en gefotografeerd kan worden. Zij zou voor ons in minder dan een uur een Brandon kunnen vinden.'

'Wat is een kijkmiddag?' vroeg Vivi en ze leunde tegen het aanrecht.

'Het is net zoiets als een auditie,' zei Lane. 'Alleen komen de modellen nu binnen, laten hun portfolio's zien en paraderen rond. Ik vind het nogal oppervlakkig klinken, maar...'

'Wacht even, wat zei je daar?' vroeg Vivi en ze kreeg het plotseling warm.

Lane staarde haar aan. 'Ik zei dat het nogal oppervlakkig klinkt, maar...'

'Nee! Niet dat gedeelte. Een auditie! Dat zou perfect zijn!' riep Vivi en ze zette de Notre Dame met een klap terug op de plank.

'Dus je wilt een auditie houden,' zei Lane toonloos. 'Maak je een grapje? Hoe krijgen we mensen zover dat ze erop afkomen, zonder dat Isabelle het te weten komt?'

'We hoeven geen mensen te laten komen,' zei Curtis en hij duwde zichzelf met glinsterende bruine ogen bij de muur vandaan. 'We kennen al iemand die een auditie houdt.'

Vivi grijnsde naar Curtis.

'Jongens,' zei Marshall op zijn hoede. 'Jullie denken toch niet wat ik denk dat jullie denken, hè?'

'Mam!' riep Vivi zo hard als ze kon. Ze draaide zich om en liep op een holletje naar de trap.

'Jemig! Dat is perfect!' zei Lane, die het eindelijk begon te begrijpen. Ze stond op en samen met Curtis en Marshall volgde ze Vivi. Ze dromden om haar heen in de deuropening.

'Vivi! Wat is er in vredesnaam aan de hand?' vroeg haar moeder, die boven aan de trap verscheen. 'Sorry!' zei Vivi en ze rende de trap op. Ze nam haar moeders arm en sleurde haar zo ongeveer naar de hal. 'Ik ben alleen zo opgewonden over je audities. Jullie gaan *Bye Bye Birdie* opvoeren, toch?'

'Dat klopt...' zei haar moeder, enigszins in de war. Ze keek rond naar alle enthousiaste gezichten en zag er wat bezorgd uit.

'Er doen een heleboel tieners aan mee, toch?' Curtis leunde tegen de trapleuning.

'We zijn op zoek naar wat jongere acteurs,' zei Vivi's moeder. Toen begonnen haar ogen van opwinding te stralen. 'Ben je van gedachten veranderd over auditie doen, Curtis? Want dat zou echt...'

'Nee, mam. We vroegen ons alleen af of we maandag met je mee mogen naar de audities. Lane en Curtis en ik? Gewoon om te kijken.'

Vivi's moeder was stomverbaasd. 'Mee? Met mij? Waarom?'

'Ik weet het niet. Ik wil alleen... Ik wil alleen heel graag zien hoe dat in zijn werk gaat,' improviseerde Vivi en ze pakte haar moeders hand en liep met haar terug naar de keuken. 'Ik bedoel, het is je baan! Je passie! Dat wil ik met je delen!'

Marshall schudde zijn hoofd en ging op zijn stoel aan de tafel zitten.

'Maar Vivi, je hebt nog nooit enige belangstelling aan de dag gelegd voor de musicalwereld!' zei Vivi's moeder, ademloos van verbazing.

'O, alsjeblieft! Dat heb je helemaal mis!' protesteerde Vivi. 'Mam, het theater is mijn leven!'

Aan de tafel sloeg Marshall zijn armen over elkaar en hij legde zijn hoofd erop.

'O, Vivi! Je hebt geen idee hoeveel het voor me betekent dat ik je dat hoor zeggen!' zei haar moeder en er kwamen tranen in haar ogen.

Vivi stak snel haar duimen op naar Lane en Curtis toen haar moeder haar dolgelukkig een knuffel gaf. Knarsetandend zat Marshall aan de tafel.

'Ik ga meteen de casting director bellen!' kondigde Vivi's moeder aan. 'Ze zal het zo geweldig vinden dat jullie komen!'

Ze zweefde de kamer uit en Vivi genoot nog na van haar overwinning. 'Theaterfanatici! Waarom hebben we dit niet eerder bedacht?'

'Het is absoluut perfect,' zei Curtis stralend.

'En we hoeven niet eens op hen af te stappen,' voegde Lane er zichtbaar opgelucht aan toe. 'Ze staan op het toneel auditie voor ons te doen.'

'Voor mam,' zei Marshall, die een beetje groen zag. 'Ze doen auditie voor mam. Die je trouwens net vreselijk hebt bedonderd,' zei hij tegen Vivi.

'Knul. Rustig maar. Zij is gelukkig – ik ben gelukkig. Het is een win-winsituatie!' zei Vivi en ze pakte nog een pizzapunt van het aanrecht. 'Volgende week om deze tijd hebben we onze Brandon.'

'Ik wou alleen dat we niet tot maandag hoefden te wachten,' zei Lane. 'Wat moeten we als Shawn Isabelle voor die tijd overhaalt om met hem naar het gala te gaan?'

'We zullen haar zolang bij hem vandaan moeten houden. Marshall voert zijn tortelduifjesgesprekken online nog wat op en op die manier houden we haar wel bezig,' zei Vivi. 'Dat ze tot nu toe nog geen ja tegen hem gezegd heeft, moet wel door Brandon komen. We moeten er gewoon mee doorgaan.'

'Dus je gebruikt onze moeder – overigens door te spelen met haar grootste droom – om een nepdate voor het gala te regelen voor je beste vriendin, die geen idee heeft wat er gaande is,' zei Marshall en hij keek haar aan. 'Je gaat wel erg ver, dat besef je toch wel, hè?'

Vivi glimlachte. 'Ja, maar het wordt wel een mooie reis.'

8

Lane staarde naar zichzelf in de hoge spiegel van de paskamer. Dit was hem. Dit was de jurk. Nadat ze meer dan twintig
verschillende galajurken had aangepast, was ze ervan overtuigd
geweest dat ze de jurk van haar dromen nooit zou vinden, maar
dit was hem absoluut. De lichtblauwe kleur liet haar ogen goed
uitkomen, maar maakte haar huid niet te roze, zoals veel andere jurken wel hadden gedaan. En ze was helemaal weg van het
geschulpte kanten randje aan de bovenkant. Met de smalle
ceintuur van lint en de wijd uitlopende rok, was hij lief en mo-
dieus tegelijk.

'Meiden! Kom eens naar buiten!' riep Vivi van buiten de pas-
kamers. 'Waarom duurt het zo lang?'

'Oké, ik kom eraan!' antwoordde Lane.

'Ik ook!' voegde Isabelle eraan toe.

Lane stapte de paskamer uit en Vivi en haar moeder stonden
allebei op. Vivi had nog steeds de jurk aan die zij gekozen had
– een chique zwarte jurk tot op de grond met een halterboven-
kant die in haar hals vastgemaakt was – en zowel zij als haar
moeder sloegen hun hand voor hun mond toen ze Lane zagen.

'Lieve schat. Die jurk staat je volmaakt,' zei Vivi's moeder.

Lane straalde. 'Dat vind ik ook. Nu moet ik alleen mijn moeder nog bellen om haar zover te krijgen dat ze bereid is om twee keer zoveel uit te geven als ze gezegd had.' De gedachte daaraan wiste de glimlach meteen van haar gezicht.

'Laat mij maar bellen. Ik kan enorm overtuigend zijn,' bood Vivi's moeder aan. Ze haalde haar mobieltje tevoorschijn en liep weg.

'Ik vind hem geweldig,' zei Vivi tegen Lane. 'Serieus. Hij is perfect.'

'Dank je.' Ze draaiden zich allebei om om naar Isabelle te kijken, die nog steeds uit haar paskamer moest komen. 'Iz?' riep Lane.

Stilte. Vivi fronste bezorgd en liep naar de paskamer. 'Isabelle? Gaat het?'

'Ja hoor,' antwoordde Isabelle in tranen.

'O jee.' Vivi rukte de deur open en daar stond Isabelle in wat alleen maar beschreven kon worden als haar droomjurk. Het was de voor haar kenmerkende poederroze kleur met een smalle taille en een nauwe rok – precies als de jurken die ze nu al jaren in tijdschriften bewonderde. Lane kon zich helemaal voorstellen hoe ze op het toneel zou staan, stralend van trots als de kroon van de galakoningin, waarvan iedereen wist dat zij die zou winnen, op haar hoofd gezet werd. Maar op dit moment stond Izzy met tranen van ellende in haar ogen naar haar spiegelbeeld te kijken.

'Isabelle! Hij is schitterend!' Lane keek om zich heen of ze iets zag wat als zakdoek dienst kon doen. 'Wat is er?'

'Ik heb geen date!' huilde Isabelle. Ze zakte neer op het kleine gestoffeerde stoeltje in de paskamer. 'Het is een perfecte, prachtige jurk en ik heb niemand om hem voor te dragen!'

'Dan draag je hem voor jezelf!' zei Vivi.

'Nee. Dit klopt niet. Ik ga Shawn bellen.' Isabelle dook naar haar handtas en begon erin te graven. 'We moeten er samen naartoe. Hij weet dat we er samen naartoe moeten.'

'Nee!' viel Lane uit. Voordat ze wist wat ze deed, had ze de riem van Isabelles tas te pakken en rukte ze hem naar zich toe.

'Lane! Geef terug! Het is mijn beslissing,' zei Isabelle en ze kwam op haar af.

Lane gaf de tas snel aan Vivi, die veel sterker en sneller was dan zij. 'Isabelle, nee,' zei Lane en ze stak haar hand op. 'Op dit moment kun je niet helder denken. Je wordt beïnvloed door de jurk.'

'Dat is niet waar! Sterker nog: ik denk voor de eerste keer helder na!' ratelde Isabelle. 'Want waar wacht ik op? Op een of andere jongen op internet, die me vertelt dat hij onze gesprekken zo fijn vindt dat hij het ervoor overheeft om tweeënhalf uur te rijden om met me naar het gala te gaan? Ha! Alsof hij dat echt gaat doen.'

Lane keek verbaasd naar Vivi. Dus het plan werkte echt. Ze wilde echt met Brandon naar het gala. Ze dacht alleen dat het onmogelijk was.

'Bovendien houd ik van Shawn. Ik weet dat hij niet volmaakt is, maar ik hou van hem. Ik kan er niets aan doen. Waarom kan ik niet met hem naar het gala?' vroeg Isabelle. Ze draaide haar kleine zilveren ring aan haar vinger rond. Ze deed een plotselinge greep naar haar tas, maar Vivi hield hem buiten haar bereik.

'Omdat hij het zal verpesten!' flapte Lane eruit. 'Zoals hij altijd alles voor je verpest!'

Isabelle keek Lane met een trillende onderlip aan.

'Het spijt me, Iz, maar het is waar. Kijk dan naar jezelf.' Ze draaide Isabelle om, zodat ze zichzelf in de spiegel kon zien. 'Je bent prachtig, zelfs zonder de make-up en het kapsel en de juwelen. Stel je jezelf nu eens voor in vol ornaat, terwijl je thuis helemaal opgewonden zit te wachten. En te wachten. En te wachten. Omdat hij niet komt opdagen. Of hij verschijnt stomdronken en gedraagt zich de hele avond als een idioot. Stel je eens voor hoe je je dan zou voelen.'

Isabelle haalde diep adem. Achter haar hield Lane haar armen vast. Vivi en zij staarden elkaar via de spiegel aan, hopend dat dit zou werken. Voor het eerst dacht Lane echt dat een nep-Brandon het beste alternatief was voor haar vriendin. Hij móést wel beter zijn dan Shawn.

'Oké,' zei Isabelle ten slotte en ze ontspande zich.

'Goed zo. Goede beslissing,' zei Lane en ze liet Izzy los.

Isabelle streek de voorkant van haar jurk glad en rechtte haar schouders. 'Maar ik beloof niet dat ik absoluut niet met hem ga. Ik bel hem alleen niet nu,' waarschuwde ze.

'Maar Isabelle,' zei Vivi. 'Ik…'

'Ik wil er niet meer over praten,' zei Isabelle vastberaden. Ze stond op en liep op Vivi en Lane af. 'Ik ga me verkleden.'

Izzy sloot de deur voor de neus van haar vriendinnen en Lane zuchtte diep. Vivi trok haar opzij, ver genoeg van Isabelles paskamer om niet gehoord te kunnen worden.

'Wat moeten we doen? Ze staat op het punt van instorten!' fluisterde Vivi.

'We hebben haar op dit moment in elk geval tegengehouden. Eén stap tegelijk,' zei Lane tegen haar. 'En morgen vinden we onze Brandon. Ongeacht hoeveel slechte uitvoeringen van *Put on a happy face* we moeten uitzitten.'

Vivi fronste. '*Put on a happy face?*'

Dat komt uit *Bye Bye Birdie*. Ik heb wat onderzoek gedaan,' zei Lane tegen haar. Ze sloeg met haar hand op Vivi's blote schouder. 'Het wordt een lange, zware dag.'

9

'Oké, nu begrijp ik waarom je moeder mij hier per se auditie voor wilde laten doen,' zei Curtis. Hij legde zijn voeten op de stoel voor hem. Op het toneel kweelde een man met peper-en-zoutkleurig haar nogal vals *Put on a happy face*, wat Vivi, zoals Lane al voorspeld had, vandaag al véél te vaak gehoord had. 'Ik dacht dat dit een show voor tieners was. Deze man is zo'n beetje bejaard.'

'Er zitten wat rollen voor ouderen in de show,' fluisterde Lane. 'Meneer MacAfee... Albert Peterson... Ed Sullivan...'

Curtis keek eerst naar haar en daarna naar Vivi, die met haar ogen rolde. 'Ze heeft onderzoek gedaan,' zei ze sarcastisch.

'Hé! Ik vind het prettig om goed voorbereid te zijn!' pruilde Lane.

Curtis klopte op haar hoofd. 'Dat weten we. Daarom houden we van je.'

Lane bloosde uiteraard als een idioot.

Meneer Bejaard beëindigde zijn lied en liep het toneel af.

Vivi ademde eens diep in om tot rust te komen en ging verzitten op haar behoorlijk ongemakkelijke theaterstoel. Het

Starlight Theater, waar haar moeder overdag de meeste uren doorbracht, was een oud, ruim theater met vergulde loges en een gigantisch balkon dat eruitzag alsof het sinds het begin der tijden niet meer gerenoveerd was. Hoewel het decor met zijn houtsnijwerk en ingewikkelde wandkleden prachtig ouderwets was, zaten er losse springveren in iedere stoelzitting en hing er de onmiskenbare geur van rotting en bederf in de lucht. Toch werden hier elk jaar enkele van de meest gewaardeerde shows in New Jersey op de planken gebracht. Althans, dat vertelde haar moeder haar altijd.

'Oooh. Wat vind je van hem?' vroeg Lane plotseling en ze ging recht overeind zitten.

Een lange jongen met brede schouders en donker haar liep met grote stappen het toneel op. Hij droeg een zwart t-shirt en een spijkerbroek en leek twee of drie jaar ouder dan Isabelle, maar dat gaf niet. 'Mogelijk...' zei Vivi.

Toen haalde hij zijn neus op, legde iets recht in zijn broek en begon te praten. 'Ja. Ik doe auditie voor die rollo...' Hij keek naar zijn script. '...Conrad? Dat is toch wel een hoofdrol, hè? Want ik neem never nooit geen figurantenrolletjes meer.'

'Of niet!' flapte Vivi eruit, terwijl Lane haar hand voor haar mond sloeg.

'Tenzij je wilt dat Isabelle stoned raakt op de avond van het gala,' grapte Curtis.

'Jakkes. Ik vermoed dat er door het einde van *The Sopranos* veel mensen zonder werk zijn komen te zitten,' zei Vivi met een grimas.

'Getsie. Getsie!' zei Lane en ze draaide haar hoofd weg, toen hij opnieuw zijn neus ophaalde. 'Hij is zo ontzettend fout!'

Terwijl de jongen zijn solo zong – waarbij hij klonk als een slechte imitatie van Elvis – probeerde Vivi aan vrolijke dingen te denken. Ze gingen absoluut een Brandon vinden. Isabelle zou gelukkig worden. Het gala zou ongelooflijk leuk worden…

'Dank je, Rocco!' riep Vivi's moeder, die met Jeannie, de regisseuse, een paar rijen verder naar voren zat.

'Hij is klaar. Jullie kunnen je ogen weer opendoen,' zei Curtis tegen hen.

Vivi deed wat hij zei, maar tien minuten later wenste ze dat ze dat niet gedaan had. Na Rocco kwam Paul met de drie kinnen.

'Hij ziet eruit alsof hij een accordeon heeft ingeslikt,' zei Lane, waardoor Vivi de slappe lach kreeg, waarop haar moeder haar een waarschuwende blik toezond.

Paul werd gevolgd door een jongen die Rajeesh heette en die met radslagen het toneel op kwam en weer af ging.

'We spreken eens en voorgoed af: geen circusartiesten,' zei Vivi. Ze legde haar voeten op de rugleuning van de stoel voor haar.

'Tenzij het een vrouw met een baard is. Want dat is never nooit niet saai,' droeg Curtis een steentje bij.

Rajeesh werd gevolgd door Danny, die eruitzag als twaalf. Hij had blond haar, een paar zuurstokroze appelwangetjes en een hals als een potlood. Vivi legde haar hoofd in haar nek en kreunde in de richting van het gebarsten plafond. 'Dit wordt niks.'

'Hoe heet je?' vroeg Vivi's moeder.

'Eh… Danny Hess?' zei het kind met gebroken stem.

'Hij is wel schattig,' zei Lane hoopvol en ze schoof dichter naar Vivi toe en sloeg haar armen over elkaar.

'Ja, voor een kind op een kleuterschool,' bromde Vivi.

'Ze zijn te jong, ze zijn te oud… Het is ook nooit goed bij jullie!' zei Curtis lachend.

'Ik doe auditie voor de rol van Randolph?' zei Danny beverig.

'Het kleine broertje,' legde Lane uit.

'Zing je liedje maar, Danny,' zei Vivi's moeder.

Danny schraapte zijn keel en begon 'A whole new world' uit *Aladdin* te zingen. Hij begon wat bibberig, maar hij bleek behoorlijk goed te zijn. Toch wipte Vivi tijdens zijn hele optreden met haar voet op en neer.

'Oké. Oké. Haal dat kind van het toneel, zodat we hiermee door kunnen gaan!' siste ze.

Eindelijk stopte Danny met zingen, waarna er in het theater iemand begon te juichen en hard te applaudisseren. 'Yes, Danny! Woooow!'

Geschrokken draaide Vivi zich om, net als ieder ander persoon in het theater. Helemaal achterin stond, luid klappend, een jongen die Danny's broer wel moest zijn. Dat kon niet anders, want hij was een oudere, langere, bredere versie van Danny zelf. Vivi ging meteen rechtop zitten. Deze jongen was knap. Blond haar. Perfect gebeeldhouwd gezicht. Met zijn rugbyshirt en schone spijkerbroek was hij wat te kakkerig voor Brandon, maar dat kon wel rechtgezet worden. Het enige wat Vivi interesseerde, was dat door deze jongen haar hart sneller begon te kloppen en het was die dag de eerste keer dat dat gebeurde.

'Dus. Wat hebben we hier?' zei ze zacht.

'Sorry.' De jongen stopte met klappen en stak een verontschuldigende hand op naar Vivi's moeder en haar collega. 'Ik probeer hem alleen… te steunen.' Hij grijnsde op een innemende manier. 'Ik ga nu gewoon naar de hal om op hem te wachten.' Daarop pakte hij zijn blauw-gele sportjack van de stoel voor hem en vluchtte.

'Sorry,' zei Danny vanaf het toneel, paars van zijn hals tot aan zijn slapen. 'Mijn broer is nogal… eh… luidruchtig.'

'Dat geeft niet, Danny,' zei Vivi's moeder en ze glimlachte warm naar de jongen. 'We laten je weten of je door bent naar de tweede auditie.'

'Kom op!' zei Vivi en ze sprong op van haar stoel, die luid terugklapte. De adrenaline gutste zo snel door haar aderen dat ze zich een beetje slapjes voelde.

'Waar gaan we heen?' vroeg Lane. Ze begon hun spullen van de vloer op te rapen. 'Ze moeten nog een uur.'

'Wij niet,' siste Vivi. 'We hebben zojuist onze Brandon gevonden!'

Vivi snelde door een hal vol met mannen die bezig waren met stemoefeningen en het repeteren van hun tekst. Oude mannen, dikke mannen, dunne mannen, doodsbleke mannen. Geen van hen leek ook maar in de verste verte op Danny's broer. Ze wist in elk geval zeker dat ze in de komende audities niets ging missen.

'Vivi! Deze jongen is niet eens acteur,' fluisterde Lane en ze stapte over een balletdanser heen die stretchoefeningen deed die geen enkele man ooit zou moeten doen. 'Wat als hij niet goed kan acteren?'

'Kop dicht, Lane. Hij is perfect,' snauwde Vivi terug.

'Wauw. Dat was heel aardig van je,' zei Curtis sarcastisch.

'Het spijt me, oké?' antwoordde Vivi en ze keek hen over haar schouder aan. 'Ik wil hem alleen niet mislopen!'

Ze stond net op het punt om de hoek om te gaan naar een van de zijvleugels toen de gezochte persoon hoogstpersoonlijk de deur van de herentoiletten openwierp en haar daarbij bijna omverliep.

'Ho! Kijk uit waar je loopt!' lachte Vivi.

'Sorry,' stamelde de jongen. Hij wilde langs haar lopen, maar keek op terwijl hij haar passeerde en stopte weer. 'Sorry,' zei hij nogmaals.

Vivi bloosde. Had hij nog eens extra goed naar haar gekeken?

Van dichtbij was de oudere broer Hess nog veel aantrekkelijker. Zijn ogen hadden de grijsblauwe kleur van de Atlantische

Oceaan op een bewolkte dag en zijn glimlach benam haar de adem. Hij had een piepklein wit litteken midden op zijn kin en hij was al een beetje bruin – niet op een namaakmanier – terwijl het pas mei was, wat inhield dat hij een jongen was die van het buitenleven hield.

'Vivi?' zei Lane, toen ze zich met Curtis bij haar voegde.

Vivi knipperde met haar ogen en kwam met een schok bij uit haar trance. 'Jij bent toch Danny's broer, hè?'

'Eh, ja. Jonathan,' zei hij, terwijl hij zijn schooljack aantrok. Ze wilde dat hij zich zou omdraaien, zodat ze kon zien op welke school hij zat en aan welke sport hij deed. 'Is er iets mis?'

'Wat? O. Nee, hij was geweldig,' improviseerde Vivi.

Hij glimlachte en er ging een rilling door Vivi heen. Isabelle zou absoluut vallen voor deze jongen.

'Gelukkig. Werken jullie hier?' vroeg hij. 'Want als dat zo is, dan wil ik graag dat jullie weten dat hij heel hard zal werken en altijd op tijd zal zijn, als hij de rol krijgt. Mijn ouders werken weliswaar, maar ik rij hem overal naartoe. Om de een of andere reden wil hij heel graag acteur worden,' zei hij met een lach.

Zelfs zijn lach was sexy.

'O, nee. Wij werken hier niet. Mijn moeder wel. Zij is de casting director. Ik ben Vivi Swayne. Dit zijn Lane Morris en Curtis Miles. We zijn hier voor ons... eh... plezier,' zei ze en ze rechtte haar schouders.

'O. Nou, vertel je moeder maar dat het me spijt van die uitbarsting,' zei Jonathan. 'Weet je, ik ben ontzettend trots op hem.' Hij keek rond in de drukke hal en hees zijn rugzak op een schouder. 'Waar is hij trouwens?'

'O, Curtis gaat hem wel zoeken... toch, Curtis?' zei Vivi en ze draaide zich met een smekende blik naar hem om.

Curtis zuchtte. 'Ja, ja. Ik ga wel.' Hij draaide zich om en liep de gangen in, op zoek naar Danny.

'Op welke school zit je?' vroeg Vivi aan Jonathan.

'Op het Cranston College,' antwoordde Jonathan en hij draaide zich om, zodat ze de achterkant van zijn jack konden zien. Het bleek een lacrossejack te zijn. Dat had ze kunnen weten. 'Komen jullie hier uit de buurt?'

'We zitten op Westmont,' antwoordde Vivi. 'Raar hè? We wonen misschien een kwartier bij elkaar vandaan en we hebben elkaar nog nooit ontmoet. Er wonen gewoon veel te veel mensen in deze staat. Toch, Lane?'

Wat sta ik te bazelen? dacht Vivi.

'Eh... ja.' Lane keek Vivi verbaasd aan.

'Dus, Jonathan,' zei Vivi en ze bereidde zich erop voor om toe te slaan. 'We vroegen ons...'

'Hier is hij!' kondigde Curtis aan, die terugkeerde met Danny, helemaal klaar om te vertrekken. Vivi kon hen beiden wel wurgen.

'Bedankt,' zei Jonathan. 'Hé, goed gedaan, jongen!' Jonathan legde zijn hand op Danny's smalle schouder.

Danny haalde bescheiden zijn schouders op. 'Het ging wel goed. Ze zeiden dat ze over een paar dagen zouden bellen.'

'Je krijgt de rol ongetwijfeld.' Jonathan woelde door Danny's haar. 'Nou, het was leuk om met jullie te praten, maar we moeten gaan. Ik moet leren voor een examen, dus...'

Vivi's hart bonkte toen hij de buitendeur openduwde. Ze ging deze jongen absoluut niet uit haar gezichtsveld laten verdwijnen.

'Wacht! Jullie mogen niet weggaan,' zei Vivi, terwijl ze naar de uitgang rende.

Jonathan en Danny stonden stil. 'Ooooké. Waarom niet?' vroeg Jonathan.

'Omdat... eh... we je een voorstel willen doen,' zei Lane.

Jonathan keek hen geïntrigeerd aan. Vivi was bijna dronken

van opluchting. 'Wat voor voorstel?'

'Kom maar mee. Er is een cafetaria aan de overkant van de straat,' zei Vivi en ze liep voor hen uit naar buiten. 'We trakteren op een frietje en dan leggen we het uit.'

Jonathan rustte met zijn polsen op de tafel – geen ellebogen in de buurt van het tafelblad – en staarde Lane en Vivi aan. Een paar tafeltjes verderop waren Curtis en Danny in een gesprek verwikkeld over de voor- en nadelen van een Xbox vergeleken met een Playstation, en Lane wist dat dat uren kon gaan duren. Ze had voorgesteld dat ze aan een ander tafeltje zouden gaan zitten, zodat Vivi en Lane hun plan aan Jonathan konden voorleggen, zonder dat Danny allerlei vragen zou stellen – en het slechte voorbeeld zou krijgen door hun verdorvenheid.

'Dus jullie willen dat ik doe alsof ik de jongen ben die jullie op internet verzonnen hebben en dat ik met jullie vriendin naar het gala ga om te voorkomen dat ze met haar vriend gaat,' zei Jonathan botweg.

Hij is het absoluut niet, dacht Lane en ze keek snel naar Vivi.

'Haar éx-vriend.' Vivi nam een slok van haar chocolademilkshake en zette haar glas weer op tafel. 'Dus, doe je mee?'

Jonathan zuchtte en leunde achterover op de krakende bank. 'Ik wist dat ik mijn broertje bij dat geacteer vandaan moest houden. Iedereen in de theaterwereld is gestoord.'

'Om te beginnen zitten wij niet in de theaterwereld,' legde Vivi uit. Ze speelde met het papiertje dat om haar rietje had gezeten. 'En in de tweede plaats zijn we niet gek. Als je wist wat voor een jongen het was…'

'Mag ik je vragen of zíj er met hem heen wil?' vroeg Jonathan.

Vivi zweeg gepikeerd en keek naar buiten.

'Ja. Min of meer,' gaf Lane toe, wat haar een vernietigende blik van haar vriendin opleverde.

'Waarom laat je haar dan niet gewoon met hem naar het gala gaan?' vroeg Jonathan. Hij pakte een kerstomaatje uit zijn salade en stopte het in zijn mond. 'Je moet mensen hun eigen fouten laten maken, dat weet je toch wel? Je kunt je vrienden niet dwingen om bepaalde dingen te doen. Als je het toch probeert, dan komen al je relaties onder druk te staan.'

Lane verborg een glimlach door een frietje in haar mond te stoppen. Jonathan had Vivi in minder tijd door dan het hun kostte om de maaltijd op te eten.

'Vanwaar deze psychoanalyse?' vroeg Vivi en ze liet haar arm met een klap op de tafel neerkomen. 'Ben jij zo jong al psychiater?'

'Nee. Ik volg alleen een cursus psychologie op school,' zei Jonathan met een grijns. 'Eigenlijk wou ik dat mijn lerares hier was, want bij het horen van mijn toespraakje had ze mijn 5 ongetwijfeld veranderd in een 7,' grapte hij.

'Je staat een 5 en je probeert ons de les te lezen?' reageerde Vivi ad rem. 'Leuk geprobeerd.'

'Beledigingen! Goede tactiek! Wil je dat ik je hiermee help of niet?' vroeg Jonathan.

Vivi keek hem woedend aan en Lane probeerde niet te glimlachen. Ze mocht deze jongen wel. Hij was een van de weinigen die ervoor kon zorgen dat Vivi met haar mond vol tanden stond. Maar de stilte duurde voort en Lane begreep plotseling dat Jonathan ervan zou afzien als ze niet snel ingreep en dan waren ze weer terug bij af. En terug bij af was geen optie nu het gala over minder dan twee weken al zou plaatsvinden.

'Het zit zo: Isabelle heeft deze fout al eerder gemaakt. Een aantal keren,' zei Lane rustig. 'Ik begrijp volkomen wat je bedoelt. In het begin was ik er ook niet enthousiast over…'

Vivi mompelde binnensmonds iets en nam nog een grote slok van haar milkshake. Ze veegde haar mond met de rug van haar hand af en keek Lane woedend aan.

'Maar nu denk ik dat het echt het beste is voor Isabelle,' voegde Lane eraan toe. 'Shawn is geen geschikte jongen en als hij zo doorgaat, denk ik echt dat hij haar leven ruïneert.'

Vivi keek snel naar Jonathan om zijn reactie te peilen. Hij leek er, voor het eerst sinds ze daar zaten, serieus over na te denken. Lane voelde een zekere opwinding in haar borstkas. Had ze hem daadwerkelijk overtuigd?

'Ik weet het niet,' zei hij ten slotte. Met zijn vork speelde hij met de resten van zijn salade. 'Het lijkt zo oneerlijk.'

'We betalen je ervoor,' flapte Vivi eruit.

Jonathans wenkbrauwen schoten de lucht in en hij legde zijn vork neer. 'Dat meen je niet.'

'Ik heb driehonderd dollar die je vertellen dat ik het meen,' zei Vivi tegen hem. 'En alle onkosten worden vergoed. Smoking, corsage, limousine. Alles.'

'Alles?' Lane snakte naar adem.

'Alles,' antwoordde Vivi zonder haar ogen van Jonathan af te wenden. 'Als je broer de rol krijgt, moet je hem toch om de dag naar het theater rijden voor de repetities? Driehonderd dollar betekent veel geld voor de benzine.'

Lane grijnsde. Sinds Vivi zelf een auto had, klaagde ze steen en been dat haar zakgeld helemaal in haar tank verdween. De helft van de leerlingen op school had een baantje, alleen maar om de benzine te kunnen betalen. Die meid wist hoe je steekhoudende argumenten moest aanvoeren.

'Ja, maar toch weet ik het niet,' zei Jonathan. 'Hebben jullie hier echt goed over nagedacht? Wat moeten we als Isabelle erachter komt? Of als iemand van jullie school iemand van mijn school meebrengt en we betrapt worden? Dit kan veel problemen opleveren.'

Vivi leunde achterover en sloeg haar armen over elkaar. 'Zal ik je eens wat vertellen, Lane? Ik denk dat we ervan moeten afzien. Deze jongen is een angsthaas. Hij kan absoluut niet de ruige vent spelen die Brandon is.' Vivi deed alsof ze van haar bank wilde opstaan.

Lanes hart sloeg van verbazing een slag over. 'Vivi! Wat ben je...'

'Laat maar, Lane. Ik ben er klaar mee,' zei Vivi effen. Ze pakte haar suède jas van de kapstok.

'Wacht! Ik kan best een ruige vent zijn!' protesteerde Jonathan. 'Daar gaat het helemaal niet om. Als je wilt dat ik een ruige vent ben, dan kan ik dat best zijn.'

Hij stroopte de mouwen van zijn jack op en bewoog zijn hoofd stoer heen en weer.

Lane grijnsde. Ze begreep ineens waar Vivi mee bezig was. 'Zie je wel? Dat ziet er niet slecht uit,' zei ze.

'O, alsjeblieft zeg. Helemaal voorbereid door je lacrosse en je hoge morele standaard en je salade. Dit is een cafetaria, nota bene. Wie bestelt er dan een salade?' zei Vivi en ze ritste haar jas dicht alsof ze op ging stappen. 'Ik wed dat je nog nooit iets gevaarlijkers hebt gedaan dan je scheiding aan de verkeerde kant van je hoofd trekken.'

'Hé! Ik heb wel gevaarlijke dingen gedaan,' antwoordde Jonathan.

'Zoals?' vroeg Vivi. Ze stond met haar handen in haar zij naast de tafel.

'Ik snowboard,' zei hij. 'En ik ben aan het sparen voor een motor.'

'Echt niet,' zei Vivi.

'Dus je hebt wél geld nodig,' vulde Lane aan.

Jonathan keek de andere kant op, terwijl hij onder de tafel met zijn voet tikte. Hij bekeek Lane en Vivi van top tot teen, alsof hij zich afvroeg of ze wel goed snik waren en zuchtte toen gelaten. Vanaf haar kant van de tafel knipoogde Vivi naar Lane.

'Oké dan, prima. Ik doe het,' zei hij ten slotte.

'Yes!' juichten Lane en Vivi, en Vivi ging weer zitten.

'Maar nu moet ik mijn broer naar huis brengen.' Hij haalde een schrift uit zijn rugzak en schreef iets op. Daarna scheurde hij de bladzijde eruit en gaf hem aan Lane. 'Dit zijn mijn gegevens. Bel me maar, dan maken we een afspraak om elkaar te ontmoeten.'

'Bedankt. We stellen dit erg op prijs,' zei Lane en ze grijnsde breed.

'Geen dank. Jíj lijkt in elk geval een aardig meisje,' zei hij nadrukkelijk tegen Lane. Toen keek hij Vivi aan en zijn ogen vernauwden zich. 'De jury is zich over jou nog aan het beraden,' grapte hij.

'Haha,' zei Vivi en ze grijnsde even gemeen naar hem.

Jonathan wilde langs de tafel lopen om zijn broer op te halen, maar hij stopte even. 'En trouwens, ik heb mijn scheiding niet aan de verkeerde kant.'

Zodra hij vertrokken was, begonnen Lane en Vivi te lachen. 'Het is gelukt! We hebben Brandon gevonden!' juichte Lane en ze gaf Vivi een high five.

'Isabelle vindt hem vast fantastisch!' zei Vivi trots en ze at een van Lanes frietjes op. 'Shawn Slettig is verleden tijd. Dankzij mijn briljante actie.'

'O, lieve hemel. Ik kan niet geloven dat hij daarvoor door de knieën ging! Omgekeerde psychologie is de oudste truc die er bestaat!' zei Lane. Ze stond op en liep naar de andere kant van de tafel, terwijl ze haar bord achter zich aan sleepte. Als je in aanmerking nam hoe argwanend ze tegenover dit plan had gestaan, verbaasde het haar dat haar hart bonkte van opwinding. Maar waarom niet? Jonathan was knap en grappig en hij kon, met wat inspanning, absoluut de perfecte jongen voor Isabelle worden. Misschien had Vivi al die tijd gelijk gehad. Misschien ging dit plan echt werken. Het idee alleen al aan een gelukkige en Shawn-Littigvrije Isabelle bezorgde Lane rillingen van genot.

'Hij heeft in elk geval een 5 voor psychologie,' spotte Vivi, al kauwend op de frietjes.

'Zo, dames. Is Operatie Uitschakeling Slettig geslaagd?' vroeg Curtis, die handenwrijvend bij de tafel stond. De meisjes schoten in de lach.

'Het gaat door!' juichte Lane.

'Fijn!' Curtis gaf beide meisjes een high five en kreunde toen zijn mobiel begon te piepen. Hij rukte hem uit zijn zak. 'Derde bericht van mijn vader. We kunnen maar beter gaan.'

Vivi kwam overeind, maar Lane pakte haar hand. Ze was te opgetogen om het moment te laten passeren. 'Wacht! Vinden jullie niet dat we even van dit moment moeten genieten? We hebben zojuist onze Brandon gevonden!'

'Absoluut! Daar moeten we op drinken!' zei Vivi en ze pakte haar chocolademilkshake. 'Op het helpen van Isabelle om Slettigvrij te worden. Op Brandon!'

Lane hief haar glas met frisdrank en Curtis pakte een van de onaangeroerde glazen met water. 'Op Brandon!'

10

'Wat moeten we als hij geen van de boeken gelezen heeft die Brandon leuk hoort te vinden?' vroeg Lane toen ze later die avond Vivi's huis binnen liepen. 'Of als hij de films niet heeft gezien? O jee. Wat moeten we als hij niet kijkt naar *Extreme Makeover: Home Edition*, zoals we zeiden? Isabelle kent elke aflevering zo'n beetje uit haar hoofd! Als hij er nooit een gezien heeft, dan komt ze erachter hoe het zit.'

Vivi beet op de binnenkant van haar wang in een poging om niet uit te vallen. Lane zette een domper op Vivi's overwinningsroes.

'Oké, wat is er met je gebeurd tussen het cafetaria en hier?' vroeg Vivi. Ze deed haar suède jack uit en wierp het in de richting van de kapstok naast de deur. Het was er kilometers naast en het jack viel op de vloer, waar ze het liet liggen. 'Een halfuur geleden was je nog dol op Jonathan.'

'Dat weet ik. Dat ben ik nog steeds. Het is alleen… hoe veranderen we een kakker met goede manieren in een slechte jongen die drumt?' Lane bleef op de trap even staan. 'Lieve help! Hij moet kunnen drummen!'

'Dat maakt niet uit!' zei Vivi gefrustreerd. Ze rende als eerste de trap op en de hal door. 'Ze gaan alleen maar naar het gala! Denk je dat Isabelle een drumstel meeneemt en eist dat hij daarop speelt?'

Vivi duwde de deur naar haar slaapkamer open en daar zat, zoals de laatste tijd steeds het geval leek te zijn, Marshall achter haar computer. Over een eenvoudig donkerrood t-shirt en zijn nieuwe spijkerbroek droeg hij een hip legergroen camouflage-jack. Voor het eerst in haar leven zag Vivi haar broer in een niet saaie en zelfs tamelijk ruige outfit.

'Leuk jack,' zei Vivi en ze gooide haar tas op het bed. 'Misschien kun je het beter buitenshuis dragen, waar mensen zijn, in plaats van hier binnen te zitten waar niemand je ooit ziet.'

'Ze heeft gelijk, Marshall. Je brengt de laatste tijd een ongezonde hoeveelheid tijd achter de computer door.' Lane plofte neer op de zitzak en liet alle lucht uit haar longen ontsnappen.

'Ik verveelde me en toen zag ik dat Isabelle online was, daarom ben ik even met haar aan het chatten,' antwoordde Marshall. Hij keek Vivi aan en trok aan zijn manchetten. 'Vind je het echt leuk?'

'Ja. Het is zelfs cool,' zei Vivi nonchalant. Ze had het in haar hoofd te druk met drie stappen vooruit denken. Ze boog zich naar de computer toe en Marshall verkleinde snel het venster waarin hij aan het typen was. 'Ben je nu met Izzy aan het praten?'

'Ja. We hadden het er net over wat we deze zomer gaan doen en…' Hij zweeg en keek Vivi plotseling bezorgd aan. 'Waarom zie jij er zo blij uit?'

Hij keek naar Lane, die er, zag Vivi, tamelijk groen uitzag. Wat was er met haar aan de hand? Ze hadden een Brandon gevonden en toch zag Lane er onzekerder uit dan ooit.

'Waarom is ze zo blij?' herhaalde Marshall tegen Lane.

'We hebben min of meer een jongen gevonden,' legde Lane uit, en het klonk alsof ze een executie aankondigde.

'Ja, en een halfuur geleden was ze er nog helemaal opgewonden over, maar dat was voordat ze erover nagedacht had, zoals altijd,' mopperde Vivi.

Marshalls gezicht was uitdrukkingsloos. 'Jullie hebben iemand gevonden.'

'Voor Isabelle! Om Brandon te spelen,' deelde Vivi mee. Ze weigerde zich door de negatieve sfeer te laten beïnvloeden. 'msn Isabelle en vertel haar dat je met haar naar het gala wilt.'

'Wacht even,' zei Marshall en hij stond op. Met zijn achterwerk schoof hij de bureaustoel tegen het bureau en op die manier voorkwam hij dat Vivi in de buurt van haar eigen computer kon komen. 'Jullie hebben een jongen gevonden? Wie is het?'

'Zijn naam is Jonathan Hess en hij is verbazingwekkend cool,' legde Vivi uit. Ze klapte in haar handen, omdat ze bij de gedachte aan hem alleen al vlinders in haar buik kreeg. 'Isabelle gaat dood als ze hem ziet.'

'Hoe cool?' vroeg Marshall. Hij pakte de rugleuning van de stoel achter hem beet.

'Waarom? Wil jíj met hem uit?' reageerde Vivi scherp.

'Weet je, Vivi, na zeventien jaar worden je homograpjes een beetje saai,' antwoordde Marshall.

Vivi rolde met haar ogen. 'Oké. Ik zeg maar wat. Wat maakt het jou uit hoe cool hij is? msn haar nou maar.' Ze reikte om hem heen, pakte de muis en opende het venster opnieuw. Marshall sloot het net zo snel weer.

'Nee, Vivi. Wacht nou even,' zei Marshall en hij veegde zijn nieuwe krullen uit zijn gezicht, die meteen weer op hun oorspronkelijke plek terugvielen. 'Ik vraag me af waar deze jongen vandaan komt. Weet je zeker dat hij niet een of andere afwijking heeft? Hebben jullie referenties gevraagd?'

'Wie dan? Zijn ex-vriendinnetjes? Kom op, Marshall, heb een beetje vertrouwen,' zei Vivi. 'Lane en ik zoeken heus niet een of andere jongen met een crimineel verleden uit om met onze beste vriendin naar het gala te gaan. Het is een goede jongen. Wil je nu alsjeblieft doen wat je moet doen?'

Ze stak haar hand uit naar de stoel en rukte hem naar zich toe. Daarbij gooide ze haar broer bijna om. Marshalls schouders zakten een beetje af, maar hij ging zitten en hij pakte het toetsenbord. Zijn vingers raakten net bijna de toetsen toen Lane zich naast hem posteerde.

'Wacht,' zei Lane handenwringend.

'Wat nu weer?' vroeg Vivi. Ze ontplofte bijna van opwinding en frustratie. 'Dit is niet het moment om kieskeurig te zijn. Voor hetzelfde geld zit ze nu met Shawn aan de telefoon om hem te vertellen welke kleur corsage er bij haar jurk past. Wat hij overigens totaal gaat negeren.'

'Ik wil alleen maar zeker weten dat we het goede doen,' zei Lane met een frons van bezorgdheid in haar voorhoofd. 'Weten we absoluut zeker dat we meneer Kakker kunnen veranderen in Brandon de Stoere Vent? We hebben maar twee weken en hij moet absoluut geloofwaardig zijn.'

Vivi wilde gaan schreeuwen. Waar dacht Lane dat ze mee bezig waren, hersenchirurgie? Alles wat Jonathan nodig had, was een stoppelbaard, een leren jack en een neptatoeage en de zaak was gepiept. 'Ja, we weten het helemaal zeker,' zei ze vastberaden. 'Marshall, we gaan het doen.'

'Ik heb hem gisteravond een berichtje gestuurd, maar hij heeft nog niet geantwoord,' zei Lane tegen Vivi. Ze bleef voor de deur van het tekenlokaal staan en zuchtte. 'Ik hoop dat hij zich niet heeft bedacht.'

Hoewel... eigenlijk hoopte ze een beetje dat hij zich wel had bedacht. Als hij er nu van afzag, was het absoluut te laat om nog iemand anders te zoeken en dan konden ze rustig doorleven en het plan laten varen.

Lane haalde diep adem en zuchtte. Ze moest zich blijven realiseren waarom ze dit deden. Isabelle was haar beste vriendin. Ze was alleen maar bezig om haar tegen Shawn te beschermen.

'Ik wíst dat ik hem had moeten bellen,' mompelde Vivi.

'Waarom? Wat zou jij gezegd hebben dat zo anders was dan wat ik gezegd heb?' vroeg Lane geïrriteerd.

'Niets! Ik weet het niet,' antwoordde Vivi. Ze ritste haar gele Nike-vest open en trok het uit om het om haar middel te knopen. 'Het is alleen... ik ben overtuigender dan jij, vind je niet?' zei ze, terwijl ze aan de mouwen sjorde.

'Ja. Daar ben ik me van bewust.' Lane keek om zich heen om er zeker van te zijn dat de kust veilig was en ze ging zachter praten. 'Daarom hadden we besloten dat ik hem zou bellen. Omdat jij degene was die hem bijna had afgeschrikt.'

'Whatever,' zei Vivi schouderophalend.

Lanes handen balden zich tot vuisten en ze hield haar adem in om te voorkomen dat ze ging schreeuwen. Als Vivi zo ontzettend graag alles zelf wilde doen, waarom had ze Lane dan in vredesnaam bij deze rotzooi betrokken? Ze was nu niet bepaald een liefhebber van het beramen van snode plannen en van liegen en rondneuzen.

'Ha meiden,' zei Curtis, die aan kwam lopen.

Haar hart sloeg een slag over bij het horen van zijn stem. Maar toen ze zich omdraaide om hem te begroeten, zag hij er somber uit. 'Wat is er aan de hand?'

'Ik doe niet meer mee,' zei Curtis en hij stak zijn hand in de zak van zijn slobberige spijkerbroek. 'Mijn vader kwam erachter dat ik een 5 had voor dat wiskunde-examen en nu heb ik huisarrest. Ik mag de rest van het jaar niet meer zonder toestemming uit. Dus ik kan jullie niet helpen om Jonathan te trainen of zo.'

'Dat meen je niet!' zei Vivi, duidelijk aangeslagen.

Lanes ogen begonnen onverwacht te prikken en ze keek naar de vloer. Ze werd er erg emotioneel van dat Curtis er helemaal niet meer aan mee zou doen. Een van de argumenten waarmee Vivi haar had overgehaald om mee te doen was geweest dat ze op deze manier meer met Curtis kon optrekken. En nu zou ze juist minder tijd met hem doorbrengen.

'Het spijt me echt,' zei Curtis en hij gaf Lane een por met zijn elleboog.

Lane slikte haar tranen in en keek op. 'Het is oké.'

Op dat moment zag Lane over Curtis' schouder hoe Isabelle er zo ongeveer aan kwam huppelen, met een grote glimlach op haar gezicht. Lanes hart sloeg van opwinding een slag over, terwijl ze tegelijkertijd een zwaar gevoel in haar maagstreek kreeg. Ze had een voorgevoel van de reden waarom Isabelle zo gelukkig was.

'Sssst. Ze komt eraan,' zei Lane.

Vivi's groene ogen werden groter. 'Hoi, Iz!'

'Jullie geloven nooit wat er gebeurd is!' riep Isabelle, terwijl ze op en neer stond te springen. 'Brandon heeft met zijn ouders gepraat en zij zeiden dat hij met me naar het gala mocht! Ik ga met Brandon naar het gala!'

'O, Izzy! Dat is geweldig!' zei Vivi en ze gaf Isabelle een knuffel. 'Gefeliciteerd.'

Ze is goed. Ik zou nooit kunnen raden dat ze weet wat er aan de hand is, dacht Lane. Haar hart bonsde luid en ze vroeg zich af of ze ook maar half zo overtuigend kon zijn.

'Brandon? Wie is Brandon?' vroeg Curtis net zo soepel.

'Hij is een ongelooflijk coole jongen die Isabelle op MSN heeft leren kennen,' zei Vivi met een zelfvoldane glimlach.

'O. Wat leuk, Iz,' zei Curtis.

'Ja. Dat is ontzettend cool,' zei Lane rustig. Ze keek Vivi achterdochtig aan. 'Maar denk je echt dat dit een goed idee is? Ik bedoel: afspreken met iemand die je op internet hebt leren kennen?'

Vivi's ogen werden kleine zwarte stipjes. Lane wist dat Vivi ter plekke haar ogen eruit had gekrabd, als ze daar de mogelijkheid voor gekregen had.

'Wat is er? Ik ben gewoon bezorgd,' zei Lane onschuldig. 'Welke vriendin laat haar vriendin uitgaan met een willekeurige jongen die ze online heeft leren kennen? Misschien is het wel geen jongen. Het kan wel een oude man zijn. Of een vrouw! Of...'

'Oké, Lane, je hebt je punt gemaakt,' zei Vivi met opeengeklemde kaken.

Lane beet op haar tong. Ze probeerde alleen maar te zeggen wat ze gezegd zou hebben als ze geen idee had gehad dat Brandon eigenlijk Marshall was.

'Ik wist dat je dat zou gaan zeggen!' zei Isabelle en ze mepte tegen Lanes arm. 'En je hebt helemaal gelijk. Ik heb al besloten dat ik hem vanavond ga e-mailen om hem te vragen om elkaar dit weekend ergens te ontmoeten, zodat we allebei zeker weten dat we, nou ja, normaal zijn.'

'Dit weekend? Meen je dat?' vroeg Vivi gespannen. 'Wat snel.'

Lane slikte, want ze wist precies wat Vivi dacht. Als deze pre-afspraak doorging op de manier waarop Isabelle zich dat voorstelde, dan hadden ze maar vier dagen om Jonathan op een geloofwaardige manier op het niveau van Brandon te brengen. Vier Onbenullige Dagen.

Op dat moment piepte Lanes mobiele telefoon. Ze haalde hem snel uit haar zak en draaide zich om naar de muur. Officieel was het leerlingen niet toegestaan om hun telefoon onder schooltijd aan te hebben staan en daarom waren zij, haar vriendinnen en iedereen op school er heel handig in geworden om hem uit het zicht te houden. Ze had één nieuw bericht, dat ze snel opende en las.

```
KUNNEN VANDAAG AFSPREKEN. MIJN HUIS. 4U. CALL
L8ER OM ROUTE DOOR TE GEVEN. C U THEN.   J
```

'Wie is het?' vroeg Isabelle.

'O… eh… niemand,' antwoordde Lane, terwijl ze snel het scherm uit het zicht van haar vrienden draaide. 'Gewoon mijn moeder om te zeggen dat ze met het eten niet thuis is. Ik denk dat mijn vader en ik er weer alleen voor staan.'

'O. Sorry, Lane. Rot voor je,' zei Isabelle en ze hevelde haar boeken van haar ene arm over naar haar andere.

Lane had het gevoel dat ze zo rood als een biet werd. Hier stond Isabelle medelijden met haar te hebben, omdat haar huiselijk leven beneden gemiddeld was. Ondertussen loog Lane recht in Izzy's gezicht en was ze tegelijkertijd achter haar rug om plannetjes aan het bedenken.

'Ja, ach.' Lane haalde haar schouders op en sms'te snel terug.

```
OK. THNX. BTW VANDAAG NIET SCHEREN. LEG LATER UIT
L
```

Ze stak de telefoon weer in haar zak en veegde met de mouw van haar trui over haar voorhoofd, dat jeukte van het zweet.

'Alles in orde?' vroeg Curtis nadrukkelijk.

'Prima. Pap en ik gaan uit. Om een uur of vier?' zei ze en ze keek Vivi recht aan. 'Misschien ergens in Cranston?'

'Klinkt als een goed plan!' zei Vivi opgewekt en ze knipoogde bovendien naar Lane.

Lane glimlachte, opgelucht dat Vivi de boodschap kennelijk begrepen had. Isabelle keek hen ondertussen aan alsof ze een vreemde taal spraken, wat ze in zekere zin ook deden.

'Ehm, is vier uur niet wat vroeg om uit eten te gaan?' vroeg Isabelle. 'Moet je vader niet werken?'

Lane stond met haar mond vol tanden. 'Hij is vanmiddag toch vrij?' zei Vivi luid, terwijl ze Lanes arm pakte.

'Ja. Dat zei je gisteren toch?' deed Curtis een duit in het zakje.

'Wat? O. Ja. Dus we gaan eerst... winkelen en daarna, je weet wel, eten. Avondeten. Samen. Na vier uur.'

Isabelle knipperde met haar ogen. 'O.'

De bel ging. Tien seconden te laat.

'Doei!' stamelde Lane. Ze haastte zich de klas in, koos een kruk in de verste hoek en verborg zich achter de ezel met het bovenbouwproject. Haar zenuwen bleven borrelen totdat de tweede bel ging en de deur gesloten werd. Wat een geluk dat het gala over minder dan twee weken al was. Dit was een manier van leven die ze niet erg lang vol kon houden.

Aan het eind van de dag stond Lane bij haar kluisje in haar spullen te rommelen, op zoek naar haar geschiedenisschrift, toen ze het gevoel kreeg dat er iemand naar haar stond te kijken. Ze keek op en zag Curtis' bruine ogen om de hoek van haar deurtje zweven en ze gaf een gil.

'Jee! Je maakt me aan het schrikken,' zei Lane blozend.

Curtis lachte en blies een bel van zijn kauwgom, terwijl hij om het open deurtje heen liep. 'Ik stond daar al zo'n twee minuten,' zei hij. 'Je was diep geconcentreerd.'

'Ik kan mijn geschiedenisschrift niet vinden en we hebben morgen examen geschiedenis,' zei Lane. Ze deed haar rode haar achter haar oor, terwijl ze op haar hurken ging zitten om de boeken op de vloer van haar kluisje te controleren. 'Ik moet het in het lokaal hebben laten liggen.'

'Zal ik het voor je gaan halen?' vroeg Curtis. Hij wees over zijn schouder.

Lane bloosde nog heviger door dit ridderlijke aanbod. 'Meen je dat? Dank je.'

'Geen probleem. Als jij daarna met mij naar het winkelcentrum gaat,' zei Curtis met een grijns.

Juist. Natuurlijk. Hij bood het haar niet aan om gewoon aardig te zijn.

'Ik dacht dat je huisarrest had,' verzuchtte Lane, terwijl ze haar schoudertas op haar schouder hees.

'Ja, maar zelfs mijn vader weet dat een jongen niet zonder smoking naar het gala kan,' zei Curtis.

Lane had plotseling het gevoel dat ze door modder aan het waden was. Het gala. Hij ging een smoking huren voor het gala. Dat betekende dus dat hij een date had. Hij had iemand gevraagd. En die iemand had ja gezegd. Hij zou geen tachtig dollar uitgeven aan een smoking, als hij niet van plan was om hem te dragen.

'En je weet dat ik, eh, geen gevoel voor stijl heb, dus...' zei Curtis, terwijl hij een versleten stressbal tussen zijn handpalmen heen en weer rolde. Lane keek even naar hem. Zijn op zeven plaatsen gescheurde spijkerbroek, de lagen т-shirts over elkaar, het horloge dat ze hem voor zijn zestiende verjaardag had gegeven en dat hij elke dag om had. Zou hij dat gedragen hebben toen hij dit willekeurige meisje meevroeg naar het gala? Het idee alleen al maakte haar onpasselijk. 'Wat vind je ervan? Ga je met me mee? Ik wil er niet als een hark uitzien.'

Voor haar. Je wilt er niet als een hark uitzien voor haar. Wie ze ook is, dacht Lane.

'Hallo luitjes!' zei Vivi. Ze kwam precies op het juiste moment. Haar wangen waren rozig van het achtste uur gym en ze was buiten adem van het door de school rennen. 'Hier. Je had dit in het lokaal laten liggen,' zei ze. Ze drukte Lane het geschiedenisschrift in haar handen. 'Klaar om te gaan?'

'Ja.' Lane propte het schrift in haar tas en ritste hem dicht. 'We hebben plannen, weet je nog?' zei ze tegen Curtis. 'Vivi en ik hebben met Jonathan afgesproken.'

'O, dat is ook zo,' zei Curtis. Hij stak zijn handen in zijn zakken. 'Maar kunnen jullie dat niet een uurtje uitstellen of zo?'

'Waarom?' wilde Vivi weten.

'Hij wil gaan winkelen,' legde Lane uit.

'Eh, nee,' zei Vivi en ze sloeg Lanes kluisje voor haar dicht. 'Dit is Operatie Uitschakeling Slettig, weet je nog? Dit is veel belangrijker dan winkelen.'

Curtis fronste zijn wenkbrauwen. 'Maar ik…'

'Je zei dat je niet meer meedeed, en dat is prima, maar dat betekent nog niet dat je mijn belangrijkste bondgenoot voor jezelf kunt houden,' zei Vivi en ze sloeg haar arm om Lane heen. 'Trouwens, ik dacht dat je huisarrest had.'

Daarop trok Vivi Lane langs een stomverbaasde Curtis en samen marcheerden ze de gang door. 'We bellen je om je te laten weten hoe het gegaan is!' riep Vivi tegen hem.

In haar hele leven was Lane nog nooit zo dankbaar geweest voor Vivi's neiging om de leiding te nemen en over haar te beslissen.

'Je hebt me daarnet absoluut gered,' zei Lane dankbaar.

Vivi haalde haar schouders op. 'Dat doe ik toch altijd?'

Terwijl ze stonden te wachten voor de voordeur van Jonathans bakstenen tudorhuis, leek het of Vivi haar knieën niet kon laten ophouden met trillen. Ze hield de doos met boeken en films, die Lane had samengesteld, voor haar buik en de spullen in de doos bleven over elkaar heen schuiven.

'Wat is er met jou aan de hand?' vroeg Lane ten slotte.

'Niks. Gewoon klaar om te beginnen,' antwoordde Vivi. Ze staarde naar de planken van de houten deur, met het ijzeren nummer 22 in het midden. Het was best een groot huis, maar ook weer niet te. En ze hadden meer dan een minuut geleden al aangebeld.

'Ja. Ik ook. Helemaal klaar,' zei Lane op kalme toon. 'Maar dat verklaart niet waarom je dat topje aan hebt. Je bent helemaal… opgetut.'

Vivi kreeg een kleur. Ze had het trendy topje dat haar moeder voor haar verjaardag gekocht had ongeveer tien keer aan- en weer uitgetrokken en het uiteindelijk aangehouden. Het had vier maanden ongebruikt in haar klerenkast gehangen.

Niet dat ze op iemand indruk wilde maken, natuurlijk. Zeker

niet op Jonathan. 'Zo tuttig is het ook weer niet,' zei Vivi onschuldig, terwijl ze de doos op haar heup liet balanceren.

'Nee, maar jij bent iemand voor T-shirts,' zei Lane.

'En hemdjes,' voegde Vivi eraan toe.

'Ja, maar niet...'

'Kunnen we hierover ophouden, alsjeblieft?' snauwde Vivi. 'Jemig, soms is je hele ik-ben-zo-oplettend-gedoe een beetje ergerlijk.'

Lanes gezicht betrok en Vivi voelde zich onmiddellijk schuldig. Maar op dat moment ging de voordeur open en stond Jonathan voor hen in een versleten grijze Cranston College-trui en een afgetrapte korte broek. Op de een of andere manier was hij sinds gisteren nog aantrekkelijker geworden.

'Eindelijk!' mompelde Vivi en ze beende hem voorbij.

'Kom binnen,' zei hij wrang. 'Het spijt me dat het zo lang duurde. Ik was met mijn werk aan het bellen.'

'Heb je een baan?' vroeg Lane. Ze stapte naar binnen en keek om zich heen.

'Ja. Bij de bioscoop van Cranston,' zei Jonathan. Het viel Vivi op dat hij dicht bij Lane in de buurt bleef. 'Als je daar ooit komt, kan ik zorgen voor gratis popcorn.'

'Mmm... ik ben dól op popcorn in de bioscoop,' dweepte Lane.

'Gaan we aan de slag of niet?' informeerde Vivi geïrriteerd.

'Nou ja, ik kan zorgen voor gratis popcorn voor jóú,' zei Jonathan nadrukkelijk tegen Lane.

Vivi werd nog roder. 'Je bent erg geestig, weet je dat?' zei ze. Ze aarzelde bij de trap en tilde de doos een beetje op. 'Waar wil je deze hebben?'

'Ik denk boven in mijn kamer,' zei hij. 'Tweede deur aan de rechterkant.'

Vivi stampte de houten trap op en ging Jonathans kamer

binnen. Het was een grote, lichte ruimte met een gigantisch erkerraam dat uitkeek over de voortuin en hij was netter dan die van Vivi ooit zou worden. De sportfoto's – een foto met handtekening van honkballer Derek Jeter, een zwart-witfoto van Ruth en Gehrig, honkballers van vroeger, en een luchtfoto van het stadion van de Yankees – waren ingelijst en hingen op gelijke afstand van elkaar aan de muur. Het bed was opgemaakt met effen blauw beddengoed. De rieten mat lag keurig recht op de vloer. De truien op de open planken in de klerenkast waren opgevouwen en de hangende kleding was gesorteerd in afdelingen overhemden, broeken en jasjes. Zelfs zijn schoenen stonden netjes op een rij.

'Wauw,' zei Vivi, onder de indruk van de organisatiegraad. 'Je bent een pietje-precies?'

'Ik heb net opgeruimd,' zei Jonathan terwijl hij naar binnen liep.

'O, speciaal voor ons?' Vivi hield haar hoofd schuin en liet haar lange blonde haar over haar schouder naar voren vallen.

Jonathan bloosde enigszins. 'Hebben jullie zin in, eh, iets lekkers? Fris? Iets te eten? Iets anders?'

'Je bent echt een goede gastheer!' plaagde Vivi en ze ging op zijn bed zitten. 'Maar nee, dank je. Laten we maar aan het werk gaan.'

Op dat moment ging Vivi's mobiele telefoon. Ze kreeg bijna een hartstilstand toen ze Isabelles naam op haar scherm zag verschijnen.

'Shit. Het is Izzy,' zei ze en ze stond op. 'Waar zeg ik dat ik ben?'

'Geen idee,' zei Lane. 'Verzin maar iets.'

Vivi's hoofd was volkomen leeg. 'Ik kan niet zeggen dat ik bij Lonnie ben, want misschien zit ze daar zelf wel. En ik kan ook niet zeggen dat ik thuis ben, want misschien wil ze wel langskomen.'

De telefoon ging opnieuw.

'Ik kan hem niet opnemen! Neem jij hem maar.' Vivi gooide de telefoon naar Lane.

'Dat kan niet! Het is jouw mobiel en ik word geacht op stap te zijn met mijn vader!' Lane wierp de telefoon terug en Jonathan ving hem in zijn vlucht.

'Als ze ernaar vraagt, zeg je gewoon dat je aan het winkelen bent. Maar alleen als ze ernaar vraagt. Hoe minder details, hoe beter,' zei hij kalm en hij gaf de telefoon aan Vivi terug.

Vivi pakte hem geërgerd aan. Als er iets was waar ze een hekel aan had, dan was het wel als ze haar zelfbeheersing verloor en iemand anders de rustige georganiseerde persoon ging uithangen. Maar ja, Jonathan had wel gelijk. Ze slikte moeizaam en opende haar telefoon. 'Hoi, Iz!' zei ze opgewekt.

'Jemig, Vivi! Brandon is serieus de meest fantastische jongen ooit,' dweepte Isabelle.

Vivi ontspande zich. 'Echt waar?' zei ze vrolijk. 'Wat is er gebeurd?'

'Hij is naar de website van een bloemist gesurft en hij heeft me een bijlage gestuurd met vijf verschillende corsages om uit te kiezen,' zei Isabelle. 'Hij wil er zeker van zijn dat hij het helemaal goed doet. Is dat niet ongelooflijk lief?'

'Dat is inderdaad ontzettend lief,' zei Vivi en ze stak een duim op naar haar medeplichtigen. 'Deze jongen is de perfecte date voor het gala.'

'Klopt! Bovendien zei hij dat hij het prima vond om dit weekend helemaal hiernaartoe te komen, zodat ik niet hoef te rijden,' voegde Isabelle eraan toe. 'We gaan elkaar bij Lonnie ontmoeten.'

Vivi glimlachte. Marshall deed zijn werk buitengewoon goed. 'Dat is geweldig.'

'Ik ben zo blij dat ik Shawn dit weekend niet gebeld heb,' antwoordde Isabelle. 'Jullie hebben me absoluut gered. Nu hoeven we Curtis alleen nog maar zover te krijgen dat hij Lane vraagt en moeten we voor jou de perfecte jongen vinden en dan zijn we klaar!'

Vivi keek vluchtig naar Jonathan, die ingespannen naar haar zat te kijken. 'Ja. Absoluut. Daar moeten we mee aan de slag,' raaskalde ze.

'Oeps! Ik moet gaan. Hij stuurt me een berichtje via MSN,' zei Isabelle. 'Ik spreek je nog wel.'

'Later!' Vivi klapte haar telefoon dicht. 'Ze is helemaal verliefd op hem.'

'Op wie?' Jonathan ging op zijn bureaustoel zitten, trok zijn benen op en sloeg zijn armen om zijn knieën.

'Op jou!' zei Vivi. 'Nou ja, op Brandon. De jongen die jij gaat worden.'

'Nou, dat is goed nieuws, lijkt me,' zei Jonathan. 'En zie je wel? Ze vroeg niet eens waar je was.'

'Ja, ja. Je bent erg slim,' zei Vivi.

Jonathan grijnsde flirterig naar haar. 'Weet je, ik ben niet de brave jongen die je denkt dat ik ben.'

Vivi grijnsde naar hem, terwijl hij haar blik vasthield. Ze moest haar best doen om niet weg te kijken. 'Oké, gaan we aan de slag of niet?'

'Ja. Wat hebben jullie voor me meegebracht?' vroeg Jonathan aan Lane en hij tuurde in de doos.

'Gewoon wat spullen die Brandon leuk hoort te vinden.' Lane haalde een paar boeken uit de doos en gaf ze aan hem.

'Ja. Ik heb op zijn pagina gekeken. Hij houdt van literatuur, hè?' Hij bekeek de romans en gooide ze daarna in de richting van zijn kussen op het bed. 'Die kan ik allemaal niet meer lezen.'

Lanes gezicht betrok. 'Dat moet.'

'Het spijt me. Ik ben een trage lezer. Vooral als het om romans gaat. Fictie is zo vervelend. Je moet al die personages onthouden, weet je? Onthouden hoe ze eruitzien…'

'En wie ze kennen en wat ze leuk vinden en waar ze vandaan komen,' was Vivi het met hem eens. 'Ik weet precies wat je bedoelt! Ik haat… fantasierommel.'

'Wauw. Eindelijk zijn we het ergens over eens,' zei Jonathan. Hij leunde achterover op zijn bureaustoel en sloeg zijn armen over elkaar. 'Als ik toch iets moet lezen, lees ik liever een boek over de geschiedenis of een biografie. Iets wat echt gebeurd is.'

'Precies!' riep Vivi.

'Luitjes,' zei Lane.

'Als ik twee uur geschiedenis kon volgen en literatuur kon laten vallen, zou ik het meteen doen,' zei Vivi.

'Ik ook! En de helft van de boeken die je leest, slaat nergens op. Zoals *As I lay dying*. Wat is dat voor onzin?' zei Jonathan.

'Ik háát dat boek!' stemde Vivi in. 'Ik heb het zelfs naar mijn broer gegooid. Hij had een week lang een blauwe plek op zijn arm.'

Jonathan keek haar vragend aan. 'Waarom naar je broer?'

Vivi haalde haar schouders op. 'Hij bleef me maar vertellen wat een geweldig literair werk het was. Ik moest hem de mond snoeren.'

Jonathan lachte en Vivi grijnsde terug. Daar was hij weer. Die sexy lach.

'Luitjes!' riep Lane en ze stond op.

Vivi keek naar haar vriendin. Een seconde lang was ze vergeten waar ze was en waarom.

'We hebben wat tijdgebrek,' zei Lane en ze trok haar jas uit. Ze keek Jonathan aan. 'Het spijt me dat je fictie haat, maar Isabelle houdt enorm van lezen. We hebben je ingehuurd om een klus te doen en een deel van die klus houdt in dat je deze boeken kent. Dus moet je ze lezen.'

Ze plukte *A separate peace* uit de doos en gaf het aan hem. 'En trouwens, als je geschiedenisboeken en biografieën leest, moet je nog steeds "rommel fantaseren", zei ze, terwijl ze met haar handen aanhalingstekens in de lucht maakte. 'Je bent er zelf niet bij geweest of zo.'

Ze ging gepikeerd zitten en Vivi's blik kruiste die van Jonathan.

'Wauw, ik dacht dat jij de lastigste was,' zei hij.

'Ik heb haar nog nooit aanhalingstekens in de lucht zien maken,' antwoordde Vivi. 'Je kunt haar maar beter serieus nemen.'

'Hallo? Ik zit hier, hoor,' zei Lane en ze toverde een geprinte versie van Brandons homepage tevoorschijn. 'Laten we aan het werk gaan.'

'Dit is een complete ramp. We kunnen er maar beter van afzien. Ik meen het. Dit gaat niet werken,' zei Lane, toen Vivi voor haar huis stopte. Het was een koele avond en toen een stevige bries door de bladeren van de eik midden op hun gazon waaide, rilde ze ondanks haar jas. 'Tjonge, je hebt een ongelooflijk positieve houding,' zei Vivi, met haar handen om het stuur geklemd. 'Je had wel cheerleader kunnen worden.'

'Ik maak geen grapje! Hij heeft *Catcher in the Rye* niet eens gelezen!' riep Lane wanhopig. 'Wie heeft *Catcher in the Rye* nu niet gelezen?'

Vivi trok een gezicht en stak haar hand op. 'Eh... ik?'

Lane knipperde met haar ogen. 'Hoe heb je dan een voldoende gehaald voor dat werkstuk?'

'Dat kleine gevalletje dat we internet noemen? Misschien heb je er wel eens van gehoord. Er zijn online complete samenvattingen te vinden,' deelde Vivi haar mee.

'Nou, dat is echt geweldig. Goed om te weten dat je een bedriegster bent,' zei Lane en ze stak haar hand uit om het portier te openen. Ze had serieus het gevoel dat ze op het punt stond om te ontploffen. Dit was al een slechte dag geweest vóór Curtis en zijn smokingvoorstel, met al dat gelieg en gedraai tegen Isabelle. Maar in Jonathans huis was het nog veel erger geworden. Niet alleen had hij geen enkel boek van Brandons lijst gelezen, hij had ook maar een paar van de films gezien. Bovendien hadden ze zijn hele klerenkast doorzocht en niet één item gevonden dat een jongen als Brandon ooit zou aantrekken, dus nu moesten ze de volgende middag met Jonathan gaan winkelen. En het ergste was dat het nu al na negen uur was en Lane nog niet eens begonnen was met leren voor haar geschiedenisexamen van morgen.

'Je moet je ontspannen,' zei Vivi. Ze draaide haar hoofd om, zodat ze Lane recht aan kon kijken. 'Je neemt deze hele kwestie veel te serieus.'

'Ja, nou, iemand moet dat toch doen,' zei Lane. 'Als jij nu eens vijf seconden zou ophouden om de advocaat van de duivel te spelen, dan zou je zien dat dit nooit gaat werken.'

'Advocaat van de duivel spelen?' zei Vivi.

'Ja! Trouwens, voor het geval dat je het was vergeten, we hebben morgen een schoolexamen van geschiedenis. Een examen waar we geen van beiden voor hebben kunnen leren, dankzij dit project van je,' zei Lane. 'Tenzij je van plan bent om daarbij ook vals te spelen.'

'Oké, hou eerst maar eens op met die persoonlijke aanvallen,' zei Vivi. Lane leunde achterover en klemde haar kaken ongeduldig op elkaar. 'In de tweede plaats zijn we bovenbouwleerlingen. Jij staat een 9 gemiddeld. Eén slecht schoolexamen doet je heus niet de das om, dat weet je toch wel? Bovendien zou je waarschijnlijk al een 5 halen zonder zelfs maar te leren.'

'Ik wil geen 5 halen,' zei Lane en ze wierp het portier open en stapte uit. 'En als ik dat wel doe, is het jouw schuld.'

'Hé! Doe nou niet net of het allemaal mijn schuld is!' riep Vivi haar achterna. 'We doen dit voor Izzy, weet je nog?'

Lane negeerde haar en liep zo snel als ze kon naar haar huis. Eenmaal binnen sloeg ze de deur achter zich dicht. Dit ging nooit werken.

12

'Vertel me nog één keer waarom we ook alweer gaan winkelen,' zei Jonathan. Hij liep een paar stappen achter Vivi en Lane, terwijl ze door het winkelcentrum in Short Hills liepen. Hij keek rond, met zijn hoofd in zijn nek om de lichtkoepels te bewonderen, alsof hij nog nooit eerder in een winkelcentrum geweest was.

'Omdat Brandon een stoere vent is,' zei Vivi en ze liep zo snel ze kon door. 'En dat ben jij niet.'

'Dat zei ik toch al. Ik kan best een stoere vent zijn,' protesteerde Jonathan.

Een peuter in een buggy liet een rammelaar op de grond vallen toen haar moeder met haar langsliep. Jonathan hield stil om hem op te rapen, waarna hij achter het tweetal aan rende. Hij babbelde een paar seconden met de moeder en het viel Vivi op dat het zonlicht dat door de ramen scheen hem leek te volgen. Belachelijk. Toen hij terugkeerde, glimlachte hij om zijn goede daad totdat het hem opviel dat Vivi en Lane hem van top tot teen stonden op te nemen. Zijn gezicht betrok.

'Wat is er?'

'O, ja. Dat was echt heel stoer,' zei Vivi en ze snoof spottend. 'Kom op, we moeten aan de slag.'

Vivi liep regelrecht naar Hollister, waar ze meteen doorliep naar achteren, waar de rekken met koopjes stonden. Ze begon gekreukte T-shirts tevoorschijn te trekken en koos een paar jacks uit. Ze herkende meteen het legergroene exemplaar dat haar broer onlangs aanhad en nam het mee. Als het Marshall goed stond, dan zou het Jonathan echt cool staan.

Toen ze zich omdraaide, stond Jonathan voor een spiegel een pilotenzonnebril te passen. Vivi's hart sloeg een slag over. Deze jongen kon wel fotomodel worden. Echt.

'Wat is er aan de hand?' vroeg Lane.

Vivi schrok. Ze had haar vriendin niet zien staan bij het rek met gekreukte overhemden aan haar linkerhand. Lane keek naar Jonathan en toen weer terug naar Vivi, alsof ze probeerde om één en één bij elkaar op te tellen en steeds op nul uitkwam. Vivi liep de winkel door en stak Jonathan de kleren toe.

'Hier. Pas deze eens.'

Jonathan zette de zonnebril af en zelfs die beweging was sexy. Alsof hij hem duizenden keren geoefend had, ook al wist ze dat dat niet het geval was. En dat maakte hem natuurlijk nog veel aantrekkelijker. Hij maakte een grimas naar haar armvol spullen.

'Die spullen zou ik nooit dragen,' zei hij.

Vivi rolde met haar ogen. 'Dat is min of meer de bedoeling.'

Hij wierp haar een sarcastische blik toe, maar pakte de kleren aan en begaf zich naar de paskamer. Terwijl hij zich verkleedde, leunde Vivi nonchalant tegen de muur. Toen hij zijn trui over de rand van de deur hing, versnelde haar ademhaling.

'Dus je gaat echt alleen naar het gala?' vroeg Lane. Ze bekeek een trui met een zogenaamd gescheurde col en gerafelde mouwen.

Vivi ging rechtop staan. Kon Jonathan hen daarbinnen horen? En als dat zo was, wat moest hij dan denken van een meisje dat zonder date naar haar eigen examengala ging?

Het kan je niets schelen, zei ze tegen zichzelf. Het maakt niet uit wat hij denkt, want hij is Isabelles date.

'Ja. Niemand die de moeite waard is om mee uit te gaan, dus waarom niet?' zei Vivi nogal luid.

Lane beet op haar onderlip en keek een ogenblik nadenkend voor zich uit. 'Misschien ga ik ook alleen.'

'Echt waar?' Vivi voelde een sprankje hoop dat zij niet de enige zou zijn. Op iedere andere dag kon ze zo individualistisch zijn als ze wilde, maar het gala was heel belangrijk. Dan zou het leuk zijn om iemand naast zich te hebben. Behalve… 'Wacht even, Lane, ik dacht dat jij Curtis mee zou vragen.'

'Ja, maar dat was voordat hij een date had,' zei Lane nonchalant, terwijl ze naar een uitverkooprek met dameskleren slenterde.

Vivi versperde haar de weg. 'Heeft Curtis een date?'

'Nou, het is niet zeker. Hij zei alleen…'

Op dat moment ging de deur van de paskamer open en werd aan Vivi en Lane het zwijgen opgelegd. Daar stond Jonathan, in de kleren die Vivi voor hem had uitgekozen en hij zag eruit als een totale idioot.

'Heb je nou de mouwen van je jack opgerold?' kreunde Vivi.

'Hoezo? Anders ziet het er heel rommelig uit,' antwoordde hij. 'En waarom zou iemand een t-shirt kopen waar al een gat in zit?'

Hij hield de rand van het t-shirt – dat bij zijn broek ingestopt was – vast alsof het onder de hondenpoep zat.

'Je bent ook een halvegare,' zei Vivi hoofdschuddend bij zijn aanblik.

Er kroop een blos naar Jonathans gezicht. 'Als ik een halvegare ben omdat ik de universele behoefte om eruit te zien alsof je zojuist uit bed gevallen bent niet begrijp, dan denk ik dat ik hopeloos ben,' zei hij en hij rolde met zijn ogen. 'Wacht even.'

Hij sloot de deur en de kleren die hij gedragen had, werden weer over de deur gehangen.

'Vivi? Eh… misschien moet je proberen niet al te kritisch te zijn,' fluisterde Lane. 'Hij bewijst ons een dienst.'

'Wat heb ik verkeerd gezegd?' Vivi begon te zoeken tussen de andere shirts op het koopjesrek, voor het geval ze terug naar af moesten.

'Je noemde hem recht in zijn gezicht een halvegare,' legde Lane haar uit en ze liep terug naar het herenrek.

'O, alsjeblieft, zeg. Het gaat prima met hem,' zei Vivi.

'Misschien. Op dit moment. Maar als je niet uitkijkt, dan jaagt je kritische benadering hem weg en dan heeft Izzy geen date,' siste Lane.

Vivi's hart kromp ineen. Dat was zo'n beetje het allerlaatste wat ze wilde. En ze wilde Jonathan ook niet kwetsen. Of had ze dat al gedaan? Was hij op dit moment daarbinnen en vroeg hij zich af waarom hij hier in vredesnaam mee akkoord gegaan was?

De deur ging open. Jonathan had zich verkleed in een grijs T-shirt en een kort blauw jack.

Opnieuw had hij zijn mouwen opgerold. Hij draaide zich om naar de spiegel en toen opzij om zichzelf te bekijken.

'Zo. Wat vind je hiervan?'

Lane kreunde, sloeg haar armen over elkaar boven op het kledingrek en liet haar hoofd erop vallen.

Vivi zuchtte. Dit was lastiger dan ze had verwacht. Wat Jonathan ook zou aantrekken, hij bleef eruitzien als een kostschooljongen.

'Afschuwelijk,' zei ze, terwijl ze naar Jonathan toe liep. Tijd om de leiding te nemen. Ze pakte zijn arm beet en rolde de mouw weer af en daarna deed ze hetzelfde met de andere mouw. Toen ging ze op haar knieën zitten en trok de spijkerbroek naar beneden, zodat hij niet meer zo hoog zat en ze rolde de zoom van de pijpen af, zodat de rafels over de achterkant van zijn schoenen vielen. Toen ze weer opgestaan was, rukte ze het T-shirt uit zijn broek en stak ze haar hand uit naar zijn haar.

'Wacht! Wat ga je doen?' vroeg Jonathan, terwijl hij afwerend zijn hand opstak.

'Vertrouw me nu maar,' zei Vivi. Ze stak haar handen in zijn haar en kamde het overeind, daarna woelde ze met haar vingers door de achterkant. Ze pakte de pilotenzonnebril van de bank in de paskamer en gaf die aan hem. Hij wachtte even voordat hij hem opzette. Samen keken Vivi en Jonathan in de spiegel.

Lieve hemel, ik ben een wonderdoener, dacht Vivi.

'Tjonge,' zei Jonathan en hij draaide opzij. 'Niet gek!'

'Nee. Helemaal niet gek,' zei Lane, die zich bij hen voegde.

'Dus dit is het type jongen waar jullie vriendin op valt?' vroeg Jonathan, terwijl hij heen en weer draaide om zichzelf van verschillende kanten te bekijken.

'Het begint erop te lijken,' zei Vivi tegen hem. 'Als je ons nu gewoon onze gang laat gaan...'

Jonathan zuchtte en zette de zonnebril weer af. 'Oké dan,' zei hij. 'Ik geef het op. Jullie betalen me, dus jullie mogen de beslissingen nemen.'

'Dus je gaat de boeken lezen?' vroeg Lane hoopvol. Ze klapte in haar handen van opwinding.

'Zoveel als ik kan,' gaf hij toe.

'En we mogen je mee naar de kapper nemen?' vroeg Vivi.

Jonathan keek opnieuw in de spiegel en fronste nadenkend. Toen hij zich weer naar Vivi omdraaide, was zijn glimlach hartveroverend.

Hij is Isabelles date. Isabelles dáte, zei Vivi tegen zichzelf.

'Ik ben geheel de jouwe.'

Vivi's knieën begaven het bijna bij die woorden. Hier kwam narigheid van.

'Oké, dus ik ga *Catcher in the Rye* en *Farewell to arms* even snel lezen,' zei Jonathan. Hij raadpleegde de lijst die hij tijdens het eten gemaakt had. 'Dat zijn de twee belangrijkste, hè?'

'Dat zou genoeg moeten zijn,' zei Vivi. Er waaide een warme bries door haar haar, terwijl ze Jonathan terug naar huis bracht. 'Wat ben je van plan aan te trekken voor je date van komend weekend?'

Jonathan grijnsde. 'Het T-shirt met het gat, het jack met de gerafelde manchetten, de spijkerbroek met de namaakmodder erop en de zwarte laarzen die eruitzien alsof ze de Tweede Wereldoorlog nog hebben meegemaakt.'

'Brave jongen,' zei Vivi met een listige glimlach.

'O, en ik moet natuurlijk de neptatoeage niet vergeten.' Hij haalde de zwarte, gedraaide bicepsmanchet uit zijn tas.

'Niet dat ze het ziet, maar het helpt om je een houding te geven,' zei Vivi. 'Het maakt dat je je gevaarlijk voelt.'

'Ik voel me al gevaarlijk als ik er alleen maar naar kijk,' grapte Jonathan.

'Vergeet niet om te oefenen met monotoon praten,' hielp Vivi hem herinneren. 'En je moet het spreken tot een minimum beperken. Coole jongens antwoorden in één lettergreep. Begrepen?'

'Cool,' zei hij met lage stem.

Vivi lachte opnieuw. Date of niet, ze had met Jonathan meer plezier dan met de laatste drie jongens met wie ze uit was geweest samen.

'De jongen op wie jullie vriendin verliefd is, moet wel een

vreselijke gozer zijn,' zei hij, weer met zijn normale stem. 'Ik heb het gevoel dat ik stereotiep mannelijk gedrag op zijn allerslechtst moet vertonen.'

'Ja. Zo is Shawn nu eenmaal,' zei Vivi duister. 'Als ik die rotzak nooit meer hoef te zien, komt dat geen dag te vroeg.'

'Weet je, toen ik je pas kende, dacht ik dat je alleen maar een gestoorde controlfreak was...'

'Poeh. Is dat niet een beetje bot?'

Jonathan lachte. 'Maar nu ik wat meer tijd met je heb doorgebracht,' ging hij verder, 'wordt het steeds duidelijker dat je dit echt doet om je vriendin te helpen. Dat vind ik cool. Een beetje maf, maar wel cool.'

Vivi bloosde. Om te zorgen dat hij het niet zou zien, draaide ze haar hoofd opzij en deed alsof ze keek of de baan naast haar vrij was, zodat ze naar links kon. Oké. Dit betekende niet veel goeds. Als ze afging op de zwetende handpalmen, het bonzende hart en het snelle blozen, dan kon ze niet langer ontkennen dat ze verliefd was geworden op Jonathan. Een jongen die ze absoluut niet kon krijgen. Vivi had er spijt van dat ze Lane op weg naar Cranston thuis afgezet had. Ze wist niet zeker of ze zichzelf wel kon vertrouwen nu ze met hem alleen was. Vivi had altijd al moeite gehad met haar zelfbeheersing als er iets binnen haar gezichtsveld kwam dat ze graag wilde hebben.

'Ga jij alleen naar het gala?' vroeg Jonathan. Hij haalde de zonnebril tevoorschijn die hij voor zichzelf gekocht had en pulkte aan de kleine sticker met UV-BESCHERMING op een van de glazen.

Vivi schraapte haar keel. Hij had het dus wél gehoord. Wat vernederend. 'Daar ziet het wel naar uit.' Ze nam de afslag naar zijn huis en reed in de richting van zijn straat. Plotseling wilde ze niets liever dan hem uit haar auto zien te krijgen. De chique huizen en weelderig groene gazons van Cranston zoefden voorbij zonder dat ze er enige aandacht aan schonk.

'Hm,' zei Jonathan.

Vivi zette de richtingaanwijzer aan door zo hard mogelijk aan de hendel te trekken. 'Wat is er?'

'Niets,' zei Jonathan. Het lukte hem eindelijk om de sticker eraf te halen en hij stopte hem in een van de tassen bij zijn voeten. 'Ik ben geloof ik alleen verbaasd dat je geen vriend hebt.'

Ze bloosde alweer. Vivi begon een hekel aan haar huid te krijgen. 'Die had ik wel. Vorige week hebben we het uitgemaakt.'

Jonathan zette de zonnebril op en keek haar aan. 'O? Waarom?'

Omdat hij een aansteller was die niet om kon gaan met een beetje kritiek. Nou ja, ieder uur een beetje kritiek. Maar dat ging ze Jonathan natuurlijk niet vertellen.

'Hij was mij niet waard,' zei ze met een sluwe glimlach.

Jonathan lachte. Verdorie, weer die lach en die Hollywoodzonnebril.

Ze kwamen bij zijn huis en ze stopte keurig. Ze was erg onder de indruk van haar zelfbeheersing. Keihard op de rem trappen zou veel bevredigender geweest zijn.

Jonathan zette zijn zonnebril af en keek haar recht aan. 'Ja,' zei hij. 'De meeste jongens zijn een meisje als jij waarschijnlijk niet waard.'

O, kus me alsjeblieft, dacht Vivi. Kus me, kus me, kus me.

Ze betrapte zich erop dat ze naar zijn mond keek en opnieuw viel het kleine witte litteken op zijn kin haar op. 'Hoe kom je daaraan?' vroeg ze.

'Wat is er? Zit er eten op mijn gezicht?' vroeg hij en hij klapte snel het spiegeltje naar beneden.

'Nee. Dat litteken,' zei Vivi met een lach.

'O, dat?' zei Jonathan. 'Ik zou het je wel kunnen vertellen, maar dan moet ik je daarna vermoorden.'

'Haha. Maar even serieus. Hoe kom je eraan?' vroeg Vivi.

'Door iets stoers te doen,' grapte Jonathan met een plagerige blik in zijn ogen. Hij deed snel het autoportier open.

'Waarom wil je het me niet vertellen?' wilde Vivi weten. Ze was niet gewend dat ze haar zin niet kreeg.

'Omdat het leuker is om je gezicht zo vlekkerig te zien worden van frustratie,' zei hij en hij stapte uit en sloot het portier.

'Tot ziens!'

'Jonathan...'

'Ik heb het heel druk,' zei hij en hij tilde zijn tassen op en zwaaide. 'Doei!'

'Prima!' riep Vivi, half lachend en half geërgerd.

'Prima!' antwoordde hij joviaal.

Vivi schudde vermanend met haar wijsvinger en draaide de weg op. Ze stak haar hand uit het open dak en zwaaide. Ze beet hard op haar onderlip om te voorkomen dat ze zou glimlachen.

'Hij is Izzy's jongen. Izzy's jongen,' zei ze, terwijl ze naar de snelweg reed. 'Jonathan is helemaal voor Izzy.'

13

Lane keek op van haar aantekeningen voor Engels, gaapte en keek door de spiegelruit van Lonnie naar buiten, waar schoolbussen en auto's voorbij rolden. Het was hier 's ochtends heel anders. In plaats van het gebruikelijke gebabbel en geroddel, was het tamelijk rustig. De rust werd alleen verstoord door het geluid van de kassa of van een mobiel die afging. Vijf mannen en één vrouw stonden in de rij. Ze droegen allemaal een bruine of zwarte lange jas tegen de motregen buiten. Lane keek op haar horloge en vroeg zich af welke trein deze mensen gingen nemen. Haar moeder vertrok elke morgen al om zes uur om om acht uur allerlei ontbijtvergaderingen in de stad bij te wonen. Kennelijk hadden de Lonniegangers minder veeleisende banen.

Buiten op Washington Street sjokte Vivi voorbij, met de capuchon van haar trui over haar hoofd. Op hetzelfde moment kwam Isabelle met verende pas uit de andere richting aanlopen, met een roze geruite paraplu op om haar kapsel te beschermen. Ze ontmoetten elkaar bij de deur. Daar sleurde Isabelle Vivi mee naar binnen en wierp haar zo ongeveer op de bank tegenover Lane. Isabelle was een en al glimlach. Vivi verspreidde geïrriteerde dit-is-veel-te-vroeg-vibraties.

'Hallo, meiden,' zei Lane opgewekt.

Vivi deed haar capuchon af en nam met een grom de koffie aan die Lane over de tafel naar haar toe schoof.

'Het spijt me ontzettend dat ik een spoedvergadering bijeen moest roepen, maar ik heb zúlk goed nieuws!' zei Isabelle, die nog bij de tafel stond.

Lane keek haar vragend aan. 'Wat is er aan de hand?'

'Shawn heeft het gisteravond uitgemaakt met Tricia!' riep Isabelle enthousiast. Ze stond van blijdschap op en neer te springen.

Lane had nog nooit een stomp in haar maag gehad, maar ze had een vermoeden dat dat ongeveer moest voelen zoals ze zich nu voelde. Ze pakte zelfs haar beide vlechten (een noodzakelijkheid voor haar springerige haar bij vochtig weer) en bedekte haar ogen ermee, omdat ze niet wilde zien hoe Vivi's hoofd zou gaan ontploffen.

'Wat zeg je?' schreeuwde Vivi, nu pas echt goed wakker.

'Hij belde me gisteravond,' zei Isabelle. 'Ga nu niet raar doen, alsjeblieft. Ik heb geen verkering met hem gekregen. En we hebben het zelfs niet over het gala gehad.'

'Gelukkig!' zei Vivi en ze zakte achterover.

'Maar ik denk dat hij er met me naartoe wil,' voegde Isabelle eraan toe.

'Iz! Toe nou!' flapte Vivi eruit.

'Maar ik deed het zo goed, meiden!' zei Isabelle, terwijl ze Vivi's protesten negeerde. 'Ik heb hem verteld dat hij me pijn gedaan heeft, en dat hij het deze keer moest verdienen, als hij me terug wilde,' zei Isabelle. Ze grijnsde alsof ze zojuist haar grootste triomf aller tijden had aangekondigd.

'Wacht eens even, dus je krijgt wel weer een relatie met hem?' vroeg Lane.

'En Brandon dan?' informeerde Vivi.

'Brandon begrijpt het wel,' wuifde Isabelle het bezwaar weg.

'We hebben het hier wel over Shawn, meiden. En het gaat om ons examengala. Het spijt me, maar ik denk dat het een veel beter idee is om ernaartoe te gaan met iemand die ik ken en van wie ik hou dan met iemand die ik nog nooit ontmoet heb.'

Lanes hart bonkte met een ongezond ritme in haar borstkas. Dit was niet te geloven. Het kon toch niet waar zijn dat Isabelle overwoog om weer een relatie aan te gaan met Shawn na alles wat hij haar had aangedaan – en na alles wat zij, Vivi en Curtis gedaan hadden om haar te beschermen.

'Maar je gaat hem ontmoeten! Dit weekend!' flapte Vivi eruit, terwijl ze ging staan.

'Dat kan ik altijd afzeggen,' legde Isabelle uit. 'Brandon vindt het vast niet erg dat hij dat hele stuk hiernaartoe niet hoeft te rijden.'

'Maar… maar… Isabelle! Je vindt Brandon leuk!' zei Lane. 'Je kunt hem niet zomaar afzeggen.'

'Ze heeft gelijk!' beaamde Vivi. 'Neem alsjeblieft geen overhaaste beslissingen.'

Isabelles gezicht betrok een beetje en ze keek naar de vloer, die net in de was gezet was en waarop haar paraplu een kleine plas water had achtergelaten. 'Meiden. Ik weet dat jullie Shawn niet mogen…'

'Dit heeft niets met Shawn te maken,' loog Lane. 'We willen alleen…'

Hulpzoekend keek ze met grote ogen naar Vivi.

'We willen alleen graag dat je je opties openhoudt!' Vivi kneep in Isabelles arm. 'Iz, leer Brandon in elk geval eerst kennen voordat je een beslissing neemt.'

'Ja. Wacht in ieder geval tot na zaterdag,' voegde Lane eraan toe. Ze draaide zich zo op de bank, dat haar benen over de rand bungelden. 'Dan ben je echt goed in staat om een weloverwogen beslissing te nemen.'

'We hebben gezien wat voor gevoel Brandon je gaf,' smeekte Vivi. 'En dat was alleen nog maar op MSN. Stel je eens voor hoe het zal zijn als je in levenden lijve met hem optrekt! Iz, misschien is hij je soulmate wel!'

Lane schoot bijna in de lach, maar beet op haar tong. Ze wist hoeveel moeite het Vivi moest kosten om het woord 'soulmate' uit te spreken zonder met haar ogen te rollen.

'Denk je?' vroeg Izzy met opgetrokken wenkbrauwen.

'Absoluut!' deed Lane ook een duit in het zakje. Ze voelde zich een enorme bedriegster. Maar ze kon niet anders. Jonathan was hun enige hoop. 'Maar als je hem nu afzegt, zul je dat nooit weten.'

Isabelle zuchtte en haar schouders zakten een beetje naar beneden. Ze staarde naar haar gemanicuurde vingers en speelde met het koordje van haar paraplu. 'Misschien...'

'Kom op. Het is maar één afspraakje. Eén ontmoeting,' zei Vivi.

'En als je daarna nog steeds met Shawn verder wilt, dan zullen we erover ophouden,' voegde Lane eraan toe. Vivi keek haar woedend aan, maar Lane haalde haar schouders op. Het was waar: als Isabelle toch voor Shawn koos nadat ze Jonathan ontmoet had, dan was er écht niets meer wat ze voor haar konden doen.

'Oké. Goed,' zei Isabelle met een vastberaden knikje. 'Ik zal niets met Shawn beginnen, voordat ik Brandon een eerlijke kans heb gegeven.'

'Yes!' juichte Vivi luid.

'Goede beslissing,' zei Lane.

'Dank je wel, meiden.' Isabelle gaf Vivi een snelle knuffel en leunde daarna over de tafel naar Lane om haar een kus te geven.

'Soms is het fijn om jullie in de buurt te hebben,' grapte ze. 'Willen jullie ook iets? Ik neem een bagel en een sapje.'

'Nee dank je,' zei Lane.

'Ik ook niet,' zei Vivi op haar beurt en ze ging eindelijk zitten. Ze wachtte tot Isabelle in de rij stond bij de regenjassenclub en buiten gehoorsafstand was, voordat ze weer iets zei. 'Pfieuw. Dat ging maar net goed.'

'Zeg dat wel,' zei Lane en ze trok haar schrift naar zich toe. 'Maar we moeten er nu wel voor zorgen dat Jonathan totaal onweerstaanbaar is. Shawn moet eruit!' fluisterde ze met twinkelende ogen.

'Poeh. Je zit er ineens helemaal in,' zei Vivi geamuseerd.

'Tja, het was net ook erg eng!' siste Lane met een blik naar de andere kant van de zaak, waar Izzy langzaam vooruitschoof in de rij. 'Ik wil niet dat ze weer verkering met Shawn krijgt. En Brandon is natuurlijk onze beste kans.'

'Hm. Heb ik je dat niet al vanaf het begin verteld?' zei Vivi nonchalant.

'Ja, ja,' zei Lane. 'Je had dus gelijk. Ga jezelf maar niets verbeelden.'

Ze keken elkaar aan en grijnsden. 'Te laat!' zeiden ze als uit één mond.

Lane lachte en begon weer te leren. Eerst ging ze een goed cijfer voor haar examen Engels halen en daarna ging ze zich vanaf vanmiddag, als Vivi en zij Jonathan weer ontmoetten, helemaal op dit project storten. Na deze nipte ontsnapping was er níéts belangrijker dan Isabelle bij Shawn vandaan houden.

Na de laatste bel lummelde Lane wat rond voor de school om op Vivi te wachten, terwijl de jongere leerlingen op een holletje naar de bus liepen en de oudere leerlingen in de richting van hun auto's slenterden. Ze hield haar hoofd wat achterover toen de zon door de wolken probeerde te gluren en ze glimlachte. Haar examen Engels was een makkie geweest. Twintig minuten voor het eind van de les was ze al klaar geweest en ze had de rest van de tijd gebruikt om vragen voor Jonathan te bedenken om zijn kennis te testen van de boeken die ze hem gegeven had. Hij kon er nu al een paar van gelezen hebben, en als dat niet zo was, zou Lane hem eens goed aan de tand voelen.

Vanaf nu kreeg hij strenge huiswerkbegeleiding.

'Lekker bruin aan het worden?'

Lanes hoofd schoot naar voren en toen ze haar ogen opende, zag ze dat Curtis voor haar stond, met één voet op zijn skateboard. Haar gezicht werd vuurrood. 'O... ik stond alleen... eh...'

'Wat ga je zo meteen doen?' vroeg Curtis en hij wipte zijn skateboard omhoog in zijn handen.

Lane slikte moeizaam. 'Vivi en ik gaan naar Jonathan.'

'O.' Hij keek weg in de richting van de parkeerplaats, zette het board weer neer en duwde het heen en weer met zijn tenen. 'Ik vroeg me af of je samen met me wiskunde wilde doen.'

De zon brak verder door en Lanes huid prikte van de hitte. 'Het spijt me. Ik kan niet,' zei ze, en ze wilde niets liever dan dat ze wel kon. 'Vanmorgen vertelde Isabelle ons dat ze weer een relatie met Shawn wil, tenzij Brandon haar soulmate blijkt te zijn. Dus we moeten hem...'

'In een soulmate veranderen!' vulde Curtis aan.

'Ja.' Nu iemand anders het onder woorden bracht, klonk het nogal stom.

'Oké. Dan ga ik maar,' zei Curtis en hij sprong op zijn skateboard. Hij had haar de afgelopen twee minuten niet aangekeken.

'Wacht!' zei Lane haastig. 'Ben je boos?'

'Nee. Operatie Uitschakeling Slettig is belangrijk,' zei Curtis toonloos. Hij haalde zijn schouders op en keek nadrukkelijk in de richting van de parkeerplaats. 'Je moet doen wat je moet doen. Ik zie je later.'

Daarop zoefde hij de heuvel af. Hij stak zijn hand op om te zwaaien, maar hij keek niet om. Lane kreeg er een knoop van in haar maag. Curtis had nog nooit zo afstandelijk tegen haar gedaan. Niet in alle jaren dat ze hem kende. Had hij problemen met Jonathan? Met het plan? Wat had ze gedaan waardoor hij beledigd was?

'Hoi, Lane!' riep Vivi, terwijl ze achter haar aan kwam hollen.

Lane schudde haar negatieve gedachten van zich af en draaide zich om naar haar vriendin. Het was tijd om haar vrolijke masker op te zetten. Dan kon ze zich later wel zorgen maken over Curtis.

'Hoi! Ben je klaar om te gaan?' vroeg Lane. Ze probeerde de vastberadenheid en de opwinding terug te halen die ze enkele ogenblikken daarvoor nog gevoeld had.

Vivi rukte aan de schouderbanden van haar rugzak. 'Dat kwam ik je net vertellen. Je kunt vanmiddag vrij nemen,' zei ze.

Lane knipperde met haar ogen. 'Wat?'

'Je kunt vanmiddag vrij nemen,' herhaalde Vivi en ze sloeg op haar schouder. 'Ontspannen. Relaxen. Of je weet wel: leren. Want dat wilde je toch al graag doen,' grapte ze.

Ze liep langs Lane, die vijf volle seconden met haar mond vol tanden stond.

'Wie denk je dat je bent, mijn baas?' vroeg ze.

Vivi stond stil en draaide zich naar haar om. Ze keek verbaasd. 'Nee, Jonathan gaat alleen een paar films kijken die we hem gegeven hebben, dus onze hulp is niet nodig,' zei ze. 'In elk geval die van jou niet. Ik heb gezegd dat ik naar hem toe kom om er samen met hem naar te kijken.'

Lane bestudeerde haar vriendin. Vivi keek op haar horloge

en raakte ineens zeer geïnteresseerd in de auto's die een plekje probeerden te bemachtigen in de lange rij bij de uitgang. Hoe langer Lane naar haar wangen keek, hoe roder ze werden.

'Wat is er?' vroeg Vivi ten slotte scherp.

'O, jee. Je bent verliefd op hem!' flapte Lane eruit. 'Daarom wil je niet dat ik meega! Je wilt hem voor jezelf houden.'

Vivi brieste beledigd, maar bleef naar het verkeer kijken. 'Je bent niet goed wijs.'

'Dat ben ik wel!' riep Lane.

Vivi ging rechtop staan en ze keek Lane recht aan. 'Ik ben niet verliefd op hem. Ik heb alleen aangeboden om naar hem toe te gaan omdat ik niet zeker weet of hij de strekking van *Dead poets society* wel begrijpt.'

'Maar jíj begrijpt de strekking van *Dead poets society* ook niet,' bracht Lane haar in herinnering.

'Nee, inderdaad, maar Isabelle heeft het me een keer uitgelegd, dus dat kan ik tegen hem herhalen,' antwoordde Vivi. 'Het is puur zakelijk,' voegde ze eraan toe en ze keek weg. Ze kon maar net een verliefde glimlach onderdrukken.

'Jemig! Dat is echt niet waar! Je bent verliefd op hem! Ik geloof niets van wat je zegt. Je bent verliefd op het nepvriendje van onze beste vriendin!' Lane moest zichzelf ervan weerhouden om te gaan schreeuwen.

'Lane, alsjeblieft…'

'Vivi, dit kun je niet maken. Als je daar alleen heen gaat, dan bestaat de kans dat je het hele plan laat mislukken,' smeekte Lane en ze spreidde haar handen. 'Jij… Jonathan… alleen in het donker. Kijkend naar tamelijk romantische films… Ik ken je. Je bespringt hem. Je kunt jezelf niet inhouden.'

'Denk je echt dat ik geen zelfbeheersing heb?' viel Vivi uit.

'Nee! Maar…'

Maar als je echt iets wilt, dan ga je er meestal achteraan zonder rekening te houden met de gevoelens van anderen? Lane kon dat niet tegen haar zeggen. Vivi zou door het lint gaan.

'Oké. Ik weet dat je ervan overtuigd bent dat je Isabelle en mij heel goed kent, maar dit is toevallig een van die keren dat je geen idee hebt waar je over praat,' zei Vivi. 'Ik sta heus niet op het punt om het hele plan in gevaar te brengen en Izzy op een holletje terug te laten gaan naar Shawn, alleen maar omdat ik me enigszins tot hem aangetrokken voel. Ieder meisje dat met hem omgaat, voelt zich waarschijnlijk tot hem aangetrokken.'

Lane keek Vivi woedend aan. 'Ik ga met je mee.' Ze wilde langs Vivi naar de parkeerplaats stampen, maar Vivi stak haar arm uit om haar tegen te houden.

'Nee, dat doe je niet,' zei ze en ze hield Lane vast.

'Vivi!' riep Lane.

'Lane!' antwoordde Vivi en ze sloeg haar armen over elkaar.

Secondelang hield Lane een staarwedstrijd met Vivi. Ze had het gevoel dat ze weer op de kleuterschool zat en om het laatste stukje cake aan het vechten was. Ze ging niet toegeven. Niet nadat ze Curtis had afgescheept – die nu kennelijk boos op haar was – zodat ze naar Jonathan kon. Ze had evenzeer deel aan dit plan als Vivi. Ze ging zich op dit moment echt niet laten buitensluiten. Maar hoe langer ze daar stonden, hoe meer Lane zichzelf voelde verzwakken. Van Vivi kon je niet winnen. Vroeger ook al niet. En in de toekomst ook niet.

'Prima. Als jij alles wilt bederven, ga gerust je gang,' zei Lane ten slotte. 'Het kan me niet meer schelen.'

Ze draaide zich op haar hakken om en stampte de andere kant op, op weg naar huis. Voor het eerst in haar leven stoof er een groepje onderbouwleerlingen uiteen omdat zíj eraan kwam. Ze zag er kennelijk intimiderend uit als ze op het punt stond om in tranen uit te barsten.

'Ik ga helemaal niks bederven!' riep Vivi haar achterna.

'Dat zullen we nog wel zien!' schreeuwde Lane terug. Ze was er zeker van dat Vivi haar boven het geronk van een passerende bus uit niet kon horen.

Dat zullen we nog wel zien.

14

Vivi kon zich niet bewegen. Als ze dat wel deed, zou haar schouder die van Jonathan raken. Of hun handen zouden elkaar raken. Of hun bovenbenen. Waarom zaten ze in vredesnaam op zo'n kleine tweezitter? Het was duidelijk dat Jonathans ouders geld hadden. Konden ze zich dan geen grotere meubels veroorloven?

'Kunnen we dit niet in de woonkamer kijken? Het is hier zo benauwd,' zei Vivi en ze keek rond in de eigenlijk nogal luchtige familiekamer.

'Daar is de dvd-speler kapot,' zei Jonathan zonder zijn ogen van het scherm af te wenden.

Perfect. Degene die dat mislukte stuk technologie in elkaar had geflanst, ruïneerde haar hele plan. Want als ze een paar centimeter opschoof of als ze extra diep ademhaalde, zou een deel van haar lichaam dat van Jonathan aanraken, en dan was het hele plan voorbij. Dan besprong ze hem. Dan hield ze zichzelf niet meer in bedwang.

'Dit is eigenlijk best goed,' zei Jonathan.

Vivi draaide haar hoofd naar hem toe om naar zijn profiel te kijken. Het was perfect. Híj was perfect. En ze zaten helemaal alleen op dit tweezittertje, terwijl zijn broer bij een vriend was. Geen ouders, geen nieuwsgierige broers...

Wacht. Hij is gewoon een knappe jongen, zei Vivi tegen zichzelf. Knappe jongens zijn er overal. Het zou niet in je hoofd opgekomen zijn om hem te zoenen, als Lane er niet over begonnen was.

Ja. Dit was Lanes schuld. Helemaal Lanes schuld. En zij kon aantonen dat die meid ongelijk had. Ze zóú aantonen dat ze ongelijk had. Ze hoefde alleen maar haar handen en haar lippen thuis te houden.

'Wat is er?' vroeg hij en hij draaide zich naar haar toe om haar aan te kijken.

Ze rukte haar blik van hem los en richtte hem weer op de televisie. Haar hart bonsde zo hard, dat ze er misselijk van werd. 'Niets.'

Hij keek nog steeds naar haar. Keek naar haar wang. Vivi wreef in haar handen en stak ze toen als een wig tussen haar samengeklemde bovenbenen, in een poging zichzelf zo klein te maken als menselijkerwijs mogelijk was.

Plotseling raakte Jonathans bovenbeen het hare. Haar hart stond stil. Ze keek naar hem en op de een of andere manier was hij veel dichterbij dan een moment eerder. Zijn blik was dwingend toen hij naar haar keek, en de vraag in zijn ogen volkomen duidelijk. Een smeekbede om toestemming. Iedere centimeter van Vivi's lichaam was gespannen.

Ja. Doe het. Kus me maar.

Jonathans lippen bewogen zich in haar richting en tot haar eigen grote verbazing deinsde Vivi terug.

'Stop!'

'Wat is er? Wat is er aan de hand?' Jonathan schoof achteruit alsof hij zich gebrand had. Vivi stond al.

147

'Niets. Het is alleen…' Achter haar ging Robin Williams maar door en door. 'Het is alleen dat dit Isabelles favoriete gedeelte is van *Dead poets society*. Daar moet je naar kijken. Dat moet je… weten als je zaterdag met haar uitgaat.'

Jonathan keek naar de televisie alsof er zojuist een ruimteschip in de kamer geland was. Hij ging rechtop zitten op de fluwelen tweezitter en duwde zijn handen in het kussen.

'Juist. Eigenlijk wilde ik het daar graag met je over hebben,' zei hij.

'Waarover?' vroeg Vivi.

'Over het feit dat ik uitga met je vriendin.' Jonathan stond op zonder zijn blik van Vivi's gezicht af te wenden. Hij ging zo dicht bij haar staan dat ze zijn warme adem in haar gezicht kon voelen. Jemig, hij was perfect. Waarom moest hij zo perfect zijn?

'Vivi, wil je… echt dat ik met je vriendin uitga?'

Vivi dacht aan Isabelles tranen toen Shawn haar had bedrogen. Haar zelfvertrouwen toen ze Brandon online had leren kennen. Haar opwinding nadat Brandon haar meegevraagd had naar het gala. De afspraak die ze hadden gemaakt dat Isabelle Brandon een kans zou geven.

Vivi stond oog in oog met de enige persoon die kon voorkomen dat Izzy weer verkering zou krijgen met Shawn. Ze was al met Izzy bevriend geweest toen ze allebei vlechtjes hadden en roze tuinbroeken droegen. Jonathan was pas drie dagen in haar leven.

'Ja, dat wil ik,' zei ze vastberaden. 'Waarom niet?'

'Zomaar,' zei hij en zijn gezicht werd emotieloos. 'Ik denk dat we een paar scènes terug moeten spoelen.'

Hij pakte de afstandsbediening en ging op het uiterste puntje van de bank zitten, stijf tegen de leuning aan, zodat ze zo veel mogelijk ruimte had. Vivi voelde tranen achter haar ogen branden.

'Eigenlijk moet ik weg,' zei ze luid en ze pakte haar tas.

'Wat? We hebben de eerste film nog niet eens gezien,' zei Jonathan.

'Dat weet ik. Ik herinner me ineens iets.'

Ze ging niet huilen waar hij bij was. Echt niet. Absoluut niet.

'Maar, Vivi...'

'Ik zie je nog wel!' Vivi was al halverwege de keuken. 'Kijk er alsjeblieft zoveel mogelijk!' riep ze over haar schouder.

Ze sloeg de voordeur achter zich dicht en sprintte naar haar auto. Het was voor haar eigen bestwil en voor Isabelles bestwil. Voor ieders bestwil.

15

Vrijdag was een prachtige, zonnige dag en het plein voor de school was stampvol met leerlingen die stonden te kletsen en leerlingen die met hun skateboards bezig waren, om op die manier van iedere minuut zonneschijn te genieten voordat ze naar hun mentorles moesten. Lane leunde tegen de muur van de gymzaal. Ze wachtte op Vivi, zodat ze elkaar konden bijpraten over hun vorderingen. Ze hield met één oog de parkeerplaats in de gaten en met haar andere Curtis en zijn skatevrienden, die tussen de skateboarders stonden en een poging deden om met hun stunts een groep onderbouwmeisjes te imponeren. Curtis had de hele ochtend nog niets tegen haar gezegd, waardoor haar maag al ongeneeslijk in de knoop zat, maar het werd elke keer erger als een van de meisjes lachte of giechelde. Was een van hen Curtis' date? Toen Vivi's cabriolet eindelijk stopte op de voor haar gereserveerde parkeerplaats, rende Lane haar vriendin tegemoet. Ze was blij dat ze die goedkope spelletjes niet langer aan hoefde te zien.

'Oké. Wat is er gistermiddag tussen jou en Jonathan gebeurd?' wilde Lane weten, nog voor Vivi zelfs maar de kans had om uit haar auto te stappen.

'Jemig! Waarom probeer je me een hartaanval te bezorgen?' vroeg Vivi geschrokken.

Vivi droeg een lage joggingbroek en haar hardloopshirt, ze had haar haar in een paardenstaart en ze droeg geen make-up. Vivi's standaard bemoei-je-er-niet-mee-uitrusting. Lane wist het. Ze wíst dat er iets was misgegaan bij Jonathan.

'Hebben jullie verkering gekregen? Gedroeg hij zich gister-avond daarom zo raar aan de telefoon?' Lane deed een stap ach-teruit, zodat Vivi haar autoportier kon openen.

'Heb je met hem gepraat?' wilde Vivi weten. 'Wat zei hij?'

'O, jee. Ik heb gelijk! Je hebt met hem gezoend, hè?' zei Lane.

'Nee, oké? We hebben geen verkering gekregen!' Vivi sloeg haar portier dicht. 'Waarom had je hem aan de telefoon?'

'Hij belde me op om de MSN-gesprekken tussen Marshall en Isabelle met me door te nemen,' zei Lane tegen haar. Ze keek haar vriendin strak aan en probeerde haar reactie op wat ze zei te peilen. 'Hij wilde er zeker van zijn dat hij er klaar voor was.'

'Oké. Waarom ben je zo in paniek?' vroeg Vivi.

'Omdat hij zich vreemd gedroeg. Erg zakelijk. Geen grapjes, niets. En hij vroeg me of ik met jou gepraat had sinds je daar vertrokken was,' ging Lane verder, terwijl ze zich omdraaiden en in de richting van de school liepen. 'Waarom vroeg hij me dat?'

'Lane, ik heb geen idee. Ik kan geen gedachten lezen, oké?' zei Vivi schouderophalend. 'We hebben alleen een film gekeken. Niks bijzonders.'

'Als jij het zegt,' antwoordde Lane.

'Ik zeg het. Hoe ging het met de MSN-berichten?' vroeg Vivi. Ze haalde haar zonnebril uit haar tas en zette hem op. 'Zijn we er helemaal klaar voor?'

'Nog niet helemaal,' zei Lane tegen haar. 'Ik bedoel: er waren er erg veel. Zijn Marshalls cijfers de laatste tijd achteruit gegaan? Want ik denk serieus dat hij niets anders gedaan heeft dan met Izzy chatten.'

Vivi snoof. 'Snap ik. Het is de eerste keer in zijn leven dat er een meisje meer tegen hem gezegd heeft dan "hallo",' grapte ze.

'Dat is niet waar! Ik praat ook met hem,' protesteerde Lane.

Ze waren aangekomen bij de cirkel met bankjes op het plein en ze gingen zitten op het enige bankje dat nog vrij was.

'Ja. Omdat je wel moet,' antwoordde Vivi.

'Ik begrijp niet wat jouw probleem met je broer is,' zei Lane en ze zette haar tas bij haar voeten neer.

Vivi rolde met haar ogen en boog met een gaap haar hoofd achterover. 'Whatever. Is Jonathan er klaar voor of niet?'

'Hij kan met geen mogelijkheid alles onthouden,' antwoordde Lane. 'Het is veel te veel. Hij is een slimme vent, maar dit is net zoiets als proberen om in twee dagen voor al je examens te leren. Iedereen zou er moeite mee hebben. En als Izzy hem één rare vraag stelt over iets wat hij zich niet meer kan herinneren, dan zijn we er geweest. Wat moeten we dan doen?'

Vivi deed haar hoofd weer omhoog en staarde zo verloren in de richting van de parkeerplaats dat Lane een nog grotere knoop in haar maag kreeg. Ze zag er bijna berustend uit.

Op dat moment lichtte Vivi's hele gezicht op. 'Ik weet het!'

'Wat?' vroeg Lane, hoopvol en nerveus tegelijk.

'Daar zijn jullie! Ik heb overal naar jullie lopen zoeken!' zong Isabelle, die ineens achter hen opdook.

Vivi werd lijkbleek en Lane nam het heft in handen om Izzy af te leiden voordat het haar opviel.

'Hoi, Iz!' zei ze en ze pakte haar vriendin beet en gaf haar een knuffel. 'Dus! Morgen is de grote dag! Vind je het spannend?'

'Heel erg spannend,' zei Isabelle. 'Ik kan bijna niet wachten om te weten te komen hoe hij erui...'

'Om eerlijk te zijn,' onderbrak Vivi haar plotseling en ze stond op. 'Lane en ik zaten net over morgen te praten, en we vinden dat we met je mee moeten gaan.'

'Wat?' vroeg Isabelle.

'Ja, wat?' echode Lane.

'Dat weet je toch wel? Daar hadden we het net over!' zei Vivi nadrukkelijk en ze gaf Lane een por met haar elleboog. 'Weet je, je hebt deze jongen online ontmoet en hij heeft niet eens een foto op zijn website. Hij kan net zo goed een vijftigjarige viezerik zijn of zo. Of een kidnapper. Het kan iedereen wel zijn.'

Lane staarde naar Vivi. Was dit haar oplossing voor het probleem? Om met z'n drieën op een afspraakje met Jonathan te gaan? Wat gingen ze daar doen? Briefjes onder tafel doorgeven om hem te vertellen wat hij moest zeggen?

'Nou, we hebben in een openbare gelegenheid afgesproken,' bracht Isabelle ertegenin, terwijl ze haar ogen afschermde voor de ochtendzon.

'Ja, maar dat is niet genoeg.' Vivi sloeg haar armen over elkaar. 'Jij hebt *Without a trace* toch ook gezien? Geloof me. Jij wilt dat er iemand met je mee gaat.'

Isabelle beet op haar lip en keek naar haar vriendinnen. 'Denken jullie echt dat hij een viezerik van vijftig is?'

'Nee! Natuurlijk niet,' zei Lane en ze pakte snel Isabelles hand. 'Ik weet zeker dat hij een absolute heer is. Maar Vivi heeft wel gelijk. We kunnen maar beter het zekere voor het onzekere nemen.'

'Je hebt gelijk,' zei Isabelle uiteindelijk. 'En jullie moeten hem toch leren kennen. Op het gala vormen we met z'n allen een groep!'

'Ja, dat klopt,' zei Vivi met een geforceerde glimlach.

Lane keek even naar Vivi. Kon het nog duidelijker zijn dat zíj met Jonathan naar het gala wilde?

'Jullie zijn de allerbesten, heb ik jullie dat al verteld?' Isabelle stak haar armen uit om hen beiden een knuffel te geven. 'Wat moest ik zonder jullie beginnen?'

Dan zou je naar het gala gaan met een misselijke rotzak, dacht Lane en haar hart kromp ineen. Lane hield haar hand boven haar ogen en keek rond over het schoolplein, dat vol was met jonge mensen die op zo'n prachtige dag geen zin hadden om naar binnen te gaan. Links van haar vloog Curtis op zijn skateboard voorbij. Hij sprong van boven aan een trap op het pad. Maar jij zou in elk geval wel met de jongen van je keuze gaan. En wij niet, dacht ze.

Er waren overal stelletjes. Lane wist niet of het door het voorjaar kwam of door het naderende gala, of dat het gewoon een nare speling van het lot was, maar iedereen leek hand in hand te lopen, in de hal te zoenen en schaamteloos te flirten, overal waar ze liep. In de kantine achter Cara Johnson en Sanjay Medha staan was net zoiets als live naar een kleurrijke, smoezelige B-film kijken. Vóór het stelletje was een grote open plek. Achter hen was een lange, lange rij. Maar het enige wat ze zagen was een close-up van elkaars neus, terwijl ze elkaar ondertussen met huid en haar trachtten op te eten.

'Zeg iets,' drong een meisje uit de derde zacht bij Lane aan.

Lane werd paars. Ze was er niet goed in om voor zichzelf op te komen, maar ze begreep dat het haar verantwoordelijkheid was, gezien het feit dat zij direct achter hen stond én de enige examenleerling in de buurt was.

'Eh, sorry?' zei ze zwakjes. 'We moeten, eh, doorlopen.'

Ze werd begroet door een luid, slobberig, zuigend geluid op het moment dat ze hun gezichten in een andere stand brachten. De jongeren achter Lane kreunden. En toen verscheen als een engel uit de hemel Curtis, die langskwam en voor Lane in de rij ging staan. Haar hart dreigde uit elkaar te barsten, puur omdat hij zo dichtbij was.

'Hé! Stinkerds! Als we dat wilden zien, huurden we de professionele versie wel!'

Sanjay en Cara maakten zich van elkaar los en keken verveeld naar de rij, maar ze liepen wel door. Ze schoven één dienblad voor zich uit en hielden allebei een uiteinde vast, met hun benen bijna ineengestrengeld terwijl ze verder struikelden. De mensen in de rij juichten.

'Dank je,' zei Lane aarzelend.

Curtis nam chocolademelk en een appel. 'Ja, nou ja, het was het minste wat ik kon doen.'

'Wat bedoel je?' vroeg Lane. Ze schoof haar blad achter hem aan, maar ze nam niets. Op de een of andere manier was voedsel het laatste waar ze aan dacht.

'Gewoon, dat je die nog van me te goed had,' zei Curtis, terwijl hij vanuit zijn ooghoek naar haar keek. 'Het spijt me van gisteren. Ik denk dat ik een DVR was.'

Lane lachte. Ze was zo opgelucht dat ze wel een uur had kunnen blijven lachen. 'Je was geen dikke vette rotzak.'

'Oké. Misschien alleen een kleine vette rotzak,' grapte Curtis. Hij pakte zijn portemonnee en keek naar Lanes dienblad. Ze realiseerde zich dat er nog niets op lag en pakte snel een bagel en een flesje sinaasappelsap. 'Ik betaal voor allebei,' zei hij tegen de mevrouw achter de kassa.

Lane straalde toen ze uit de rij kwam. Samen met Curtis liep ze langzaam door het middenpad.

'Ik ben gewoon geïrriteerd door het huisarrest. En jullie hebben het zo druk met dat gedoe met Brandon... Ik heb het gevoel dat ik je niet meer te zien krijg, tenzij ik samen met je ga leren.' Hij deed een stap opzij om haar aan te kunnen kijken.

Lanes hart raakte helemaal van slag. Hij was ongerust omdat hij haar nooit meer zag. Dit was de beste conversatie die ze ooit gehad had.

'Wil je dat ik je vader bel en hem vertel dat hij een slechterik is?' vroeg Lane en ze probeerde kalm te blijven.

'Dat durf je toch niet,' maakte Curtis een grapje terug. Hij bleef midden in het gangpad staan. 'Bovendien is hij niet helemaal slecht. We hebben afgesproken dat ik, als ik een 7,5 of hoger haal op dat geschiedenisexamen, komend weekend naar één feest mag. Dus ik moet tot het zevende uur wachten om te weten of ik inderdaad mag, maar ik vroeg me af… als ik mag… of je misschien met me mee wilt?' vroeg Curtis. 'Ik haal je wel op en ik breng je ook weer thuis. Je hoeft er niets voor te doen.'

'Meen je dat?' piepte Lane. Was dit een date? Hadden Curtis en zij een date? 'Ik bedoel: ja, graag. Dat klinkt goed.'

'Mooi zo!' grinnikte Curtis. 'Ik haal je rond zeven uur op. Goed?'

Ik haal je rond zeven uur op. Het klonk als een date. Maar nee. Curtis en zij waren gewoon vrienden. Hij had waarschijnlijk al een date voor het gala. Ze moest rustig worden. Misschien zou zijn date voor het gala er ook zijn. Misschien nodigde hij Vivi en Isabelle ook wel uit. Stel je er niet te veel van voor, zei Lane tegen zichzelf.

'Oké. Goed,' ging Lane akkoord en ze knikte.

'Hé, gaan jullie nog zitten of eten we onze lunch hier op?' vroeg Vivi, die kwam aanlopen.

Lane schrok, maar slaagde erin om niets te laten vallen. Gedrieën liepen ze naar hun tafel om bij Isabelle te gaan zitten. Lane ging zitten en deed haar best om zich te interesseren voor het gesprek over het examen en het examenfeest, maar ze bleef wachten tot Curtis haar hoop voor dit weekend de bodem in zou slaan – door Vivi en Isabelle uit te nodigen – maar dat deed hij niet. Hij noemde het niet eens.

Het begon erop te lijken dat zij alleen met Curtis zou gaan. O, en misschien met zijn date voor het gala. Maar Lane zou dat wel oplossen als het zover was. Nu wilde ze alleen maar gelukkig zijn. Gelukkig en voor één keer hoopvol.

16

Achter in Lonnies zaak trilde Vivi's been onder de tafel. Ze duwde met haar handen op haar bovenbeen om het trillen te laten ophouden, maar het hielp niet. Ze was nerveus, alsof ze voor het eerst een afspraakje had. Wat, als je het goed beschouwde, ook zo was. Het was alleen niet háár eerste afspraakje, maar dat van Isabelle. Isabelles eerste date met Jonathan.

Natuurlijk zag Isabelle er goddelijk uit. Glad haar, perfecte, subtiel aangebrachte make-up en een schattige, meisjesachtige outfit, die als Vivi hem aantrok op een Halloweenkostuum zou lijken. Isabelle had zelfs geweigerd om iets te eten te bestellen, omdat ze haar lipgloss niet wilde bederven. Vivi had ondertussen al een halve bagel met pindakaas soldaat gemaakt en een zak Dorito's.

'Weet je zeker dat deze jurk niet te veel van het goede is?' vroeg Isabelle. Ze streek de voorkant van haar katoenen strapless jurkje van Ralph Lauren glad.

'Nou,' begon Vivi. 'Misschien…'

'Nee, Iz,' zei Lane en ze wierp Vivi een waarschuwende blik toe om haar het zwijgen op te leggen. 'Je ziet er prachtig uit.'

Isabelle glimlachte. 'Bedankt voor het meegaan, meiden. Wat moest ik zonder jullie beginnen?'

Vivi grinnikte, maar Lane zag er zo onzeker uit dat Vivi er buikpijn van kreeg. Maar nee. Nee. Ze deden iets wat goed was. Ze hielden Isabelle bij de giftige substantie die Shawn Littig heette vandaan en ze gaven haar in ruil daarvoor de geweldigste jongen van de hele planeet. Best mogelijk dat zij de beste vriendinnen waren die er bestonden.

Isabelle keek op haar prachtige zilveren horloge. 'Waar is hij? Je denkt toch niet dat hij me een blauwtje laat lopen, hè?'

Als hij dat doet, dan ga ik hem persoonlijk opzoeken en al zijn kakkerige truitjes verbranden, dacht Vivi.

'Nee,' zei ze en ze keek naar de neonklok aan de muur. 'Hij is alleen aan de late kant.'

Op dat moment zwaaide de glazen deur open. Vivi draaide zich om. Haar hart bonsde in haar keel. Maar het was niet Jonathan, die door de deur het restaurant binnen liep. Het waren Marshall en zijn vriend-met-de-krullen Theo, die geobsedeerd was door *The lord of the rings*. Vivi rolde met haar ogen, klakte met haar tong en zakte weer onderuit.

'Hoi, Marshall!' riep Lane en ze zwaaide.

Marshall keek op en glimlachte. 'Hoi, Lane.' Hij zei iets tegen Theo en kwam toen naar hen toe, terwijl Theo in de rij ging staan achter een stel onderbouwmeisjes van een cheerleadersgroep. Marshall droeg zijn nieuwe groene jack over een zwart T-shirt op alweer een nieuwe, hippe spijkerbroek. Hij had zelfs een riem met kopspijkers om. Tegen zijn gewoonte in zat zijn blonde haar in de war.

'Wat doe jíj hier?' wilde Vivi geërgerd weten.

'Mag een jongen niet gaan lunchen?' vroeg hij vriendelijk. 'Hoi, Isabelle.'

'Hoi,' zei Izzy. Ze keek vluchtig naar hem, maar keek toen opnieuw. 'Je ziet er anders uit.'

'Dank je,' zei Marshall en hij glimlachte verlegen. 'Tenminste, dat denk ik.'

'Kan ik je even spreken?' vroeg Vivi met haar tanden op elkaar. Zonder op een antwoord te wachten, greep ze hem bij zijn arm en sleepte hem naar de bar. 'Wat doe je hier? Nu weet ze dat er iets speelt!'

'Eh, Vivi? Het zit hier altijd vol met mensen van school. Theo en ik gaan gewoon even lunchen. Dat doen mensen wel vaker,' zei Marshall. 'En bovendien wil ik die jongen zien. Ik maak evenzeer onderdeel uit van het plan als jij.'

Vivi staarde hem woedend aan. Daar kon ze eigenlijk niets tegen inbrengen. 'Prima. Maar bestel eten om mee te nemen. Zodra hij hier is, ben jij weg.'

'Whatever,' zei Marshall en hij rolde met zijn ogen.

Toen hij zich omdraaide en naar de bar slenterde deed Vivi een stap achteruit. Kennelijk steeg de nieuwe, stoere garderobe hem naar zijn hoofd. Hij zei iets tegen Theo en ze grinnikten allebei, terwijl ze in de richting van Isabelle en Vivi keken. Vivi kon hem wel vermoorden. Wat was een betere manier om de spanning van een date te bederven dan bespioneerd te worden door zo'n enge nerd? Ze stampte terug naar de tafel en liet zich op de bank vallen. Ze wilde dat dit hele gedoe voorbij was.

'O jee. Dat is hem. Is dat hem?' zei Isabelle plotseling. Ze straalde aan alle kanten.

Lanes gezicht ontspande zich helemaal. 'Dat is hem. Ik bedoel... dat moet hem wel zijn,' voegde ze er snel aan toe.

Vivi draaide zich vliegensvlug om en de wereld stond stil. Jonathan stond bij de deur en keek langzaam rond. Hij zette zijn zonnebril af en ten slotte viel zijn blik op haar. Vivi had het gevoel dat de hitte die haar lichaam verspreidde de hele zaak kon verwarmen. Hij zag er ongelooflijk goed uit. Zijn blonde haar zat perfect in de war en hij had een blonde stoppelbaard op zijn wangen en zijn kin laten staan – maar niet over zijn litteken, viel haar op. Het was een warme dag, dus hij was afgeweken van de afgesproken kledinglijn, maar dat had hij goed gedaan. Hij droeg een rood t-shirt met zwarte opdruk op een van de schouders en een slobberige, gescheurde spijkerbroek. Zijn zwarte laarzen waren versleten en hij droeg – ongelukkigerwijs – precies dezelfde riem als Marshall. Niet dat dat iemand opviel behalve Vivi.

'Brandon?' vroeg Isabelle.

Jonathan glimlachte traag. Een enorm sexy glimlach met zijn mond dicht. Hij slenterde naar de tafel, met zijn ogen onafgebroken op Vivi's gezicht gericht.

Vivi antwoordde bijna fluisterend. 'Hoi.'

'Hallo,' voegde Isabelle eraan toe.

Vivi's huid explodeerde van de pijn – dankzij een schop van Lane – en ze kwam tot zichzelf. Ze schopte tegen Jonathans voet en hij richtte zich eindelijk tot Isabelle. Vivi keek met een mengsel van verslagenheid en triomf toe hoe zijn glimlach zich verbreedde.

'Isabelle?' vroeg hij, positief verrast.

'Brandon,' antwoordde ze breed glimlachend.

'Je foto heeft je geen recht gedaan,' zei Jonathan met een lage, hese stem.

Van plezier bloosde Isabelle hevig. 'Dank je.'

Hij stak zijn hand in zijn broekzak en haalde een perfecte roze roos tevoorschijn. Isabelle hapte naar adem. 'Roze is toch je favoriete kleur?' zei Jonathan.

'Dat je dat onthouden hebt,' zei Isabelle ademloos.

Jonathan haalde zijn schouders op. 'Mijn grootvader zei altijd: kom nooit met lege handen op een afspraakje.'

Vivi moest haar best doen om bij zo veel briljante vondsten haar gezicht in de plooi te houden. Er was hem verteld hoeveel liefde en respect Isabelle voor haar grootouders had. Deze jongen was goed.

'Dat is heel lief van je,' zong Isabelle, terwijl ze aan de bloem rook.

Jonathan ging naast Vivi zitten, tegenover Isabelle. Vivi schoof voor de zekerheid een stukje opzij. Nadat Izzy 'Brandon' aan haar vriendinnen had voorgesteld, konden Vivi en Lane eindelijk een blik uitwisselen zonder dat het opviel. Lane straalde van plezier en Vivi glimlachte terug. Haar hart deed pijn, maar dat negeerde ze. Het maakte niet uit welke stompzinnige reacties haar lichaam verkoos te vertonen. Want Isabelle was overduidelijk gelukkig. En dat was waar het om ging.

'Soms kan ik niet in slaap komen. Te veel gedachten, weet je wel?' zei Jonathan en hij vernauwde op een zwoele manier zijn ogen. 'Afgelopen nacht lukte het heel slecht. Ik viel niet voor vier uur in slaap.'

Hij hing met zijn benen wijd achterover in zijn stoel en speelde met het rietje in zijn frisdrank. Compleet tegenovergesteld aan zijn gewone, beleefde, rechtopzittende verschijning. Vivi was verbijsterd. Hij deed het gewoon. Hij deed het echt. Isabelle was opgetogen. Vivi vroeg zich ondertussen af hoeveel er waar was van wat Jonathan zei en hoeveel hij verzon voor zijn Brandonpersonage. Want hoe meer Jonathan zei, hoe meer zij en Jonathan gemeenschappelijk hadden. Als het inderdaad waar was.

'Dat heb ik ook!' Vivi kon zich niet inhouden. 'Net of ik mijn hersenen niet uit kan zetten.'

'Is dat zo?' vroeg Jonathan, en hij viel even terug naar zijn normale stem. Daardoor wist Vivi dat dit gedeelte in elk geval waar was. Toen leek hij zichzelf weer bij de les te roepen en nam hij zijn rol weer aan. 'Hoe dan ook, als dat gebeurt speel ik meestal een poosje gitaar om me te ontspannen.'

Vivi's hart bonsde en ze keek snel naar Lane, die lijkbleek werd.

'Gitaar? Ik dacht dat je drumde,' zei Isabelle verward.

Jonathans gezicht verschoot heel even van kleur, maar Vivi wist bijna zeker dat zij de enige was die het zag.

'Klopt, maar het is best lastig om midden in de nacht te gaan drummen,' zei hij. Hij ging rechtop zitten en boog zich naar Izzy toe. 'Ik woon nog bij mijn ouders. Jammer genoeg.'

Isabelle grijnsde. Goede redding, dacht Vivi.

'Maar als de gitaar niet helpt, dan ga ik in mijn hoofd allemaal lijstjes opsommen,' ging hij verder. 'Meestal helpt dat wel.'

'Lijstjes? Wat voor lijstjes?' vroeg Vivi.

'O, je weet wel. Staten en hoofdsteden. De presidenten,' zei Jonathan, waarna hij naar Isabelle keek. 'Zulke saaie onzin,' voegde hij eraan toe. 'Schakelt me meestal volledig uit.'

'Jemig! Ik doe precies hetzelfde! Alleen probeer ik de namen van de leerlingen in mijn klas op te sommen,' zei Vivi.

'Meen je dat? Dat zijn er een heleboel, lijkt me,' antwoordde Jonathan.

'Het is een kleine klas,' zei Lane prompt. Opnieuw schopte ze onder tafel tegen Vivi's schenen.

Jonathan keek naar Lane, schraapte zijn keel en wendde zich toen weer tot Isabelle. 'Wat doe jij als je niet kunt slapen?'

'Ik?' Isabelle bloosde. 'O, tja, meestal heb ik dat probleem niet. Nooit. Zodra mijn hoofd het kussen raakt, ben ik van de wereld.'

'O.' Jonathan zag er even wat teleurgesteld uit, maar daarna schonk hij haar een ontzettend sexy glimlach. 'Nou, ik ben jaloers op je. En op je kussen.'

Isabelle giechelde en bloosde nog erger. Vivi rolde met haar ogen. Ze kon bijna niet geloven hoe gemakkelijk haar superintelligente vriendin in deze list trapte. Niet dat ze het erg vond. Eerlijk gezegd was ze nogal trots op zichzelf. Als haar hart niet zo ergerlijk pijn deed, tenminste.

'Dus... weet je zeker dat je het niet erg vindt om komend weekend weer helemaal hiernaartoe te komen?' vroeg Isabelle.

Vivi hield haar adem in. Was dit het? Had Isabelle besloten om met Jonathan naar het gala te gaan? En als dat zo was, waarom had Vivi dan veel meer de neiging om te gaan gillen dan om te gaan dansen van vreugde?

'Voor jou? Ik dacht het niet. Ik zou zelfs naar Californië rijden,' zei Jonathan meteen. Hij leunde met zijn ellebogen op tafel, haakte zijn wijsvinger om Isabelles pink en hield hem daar. Vivi had haar ogen zelfs niet van die omstrengelde vingers kunnen afhouden als de Starbucks aan de overkant van de straat spontaan ingestort was.

Isabelle glimlachte en hield zijn blik vast. 'Goed geantwoord.'

Jonathan glimlachte terug. Vivi kon de aantrekkingskracht tussen hen beiden haast voelen. Ze kreeg het door de nabijheid ervan nog warmer.

'Betekent dit dat ik geslaagd ben?' vroeg Jonathan met zijn hoofd schuin en met die sexy, intieme glimlach op zijn gezicht.

Isabelle bloosde. 'Dit was geen examen.'

'Dat was het wel,' zei Jonathan. 'Maar ik vond het helemaal niet erg om het af te leggen.'

Isabelle draaide haar hand, tilde die van Jonathan op en strengelde hun vingers in elkaar. In Vivi's keel zat geen vocht meer.

'In dat geval: ja. Je bent geslaagd,' zei Isabelle en haar ogen hielden de zijne vast.

Jonathan gaf Izzy's vingers een kneepje en het voelde alsof hij in Vivi's hart kneep. Laat dit alsjeblieft snel voorbij zijn, dacht Vivi.

'Goed. Dan ben ik er volgende week,' zei Jonathan. 'Zeg maar waar en wanneer.'

'We verzamelen bij mij thuis,' flapte Vivi eruit.

Jonathan keek naar haar alsof hij vergeten was dat zij er ook was – of dat ze überhaupt bestond – en hij liet Isabelles hand los.

'Prima. Nou, je mailt me de details wel, hè Isabelle?' vroeg hij, en hij ging rechtop zitten. 'Ik moet eigenlijk weg. Ik moet nog... iets doen. Thuis.'

Isabelle sprong overeind. 'Oké, ik doe je even uitgeleide.'

'Prima.' Jonathan keek Lane aan en hield een moment lang Vivi's blik vast. 'Dames.'

'Het was leuk je te ontmoeten,' zei Lane luid.

'Doei,' voegde Vivi eraan toe.

Terwijl ze samen naar de deur liepen, draaide Isabelle zich met een stralende glimlach om en haar mond vormde de woorden 'Wat een stuk', alsof ze haar geluk niet op kon. Vivi dwong zichzelf om terug te glimlachen.

'Wauw.' Vivi slikte moeizaam en hield de glimlach op haar gezicht. 'Wat was hij perfect, hè?' zei ze tegen Lane.

'Ja. Perfect,' zei Lane met stress in haar stem. Ze duwde zichzelf omhoog van haar zitplaats. 'Voor jou.'

'Wat bedoel je?' vroeg Vivi, terwijl ze naar de hoek van haar bank schoof. 'Isabelle vindt hem geweldig.'

'Ja, omdat ze verblind is door het feit dat hij zo fantastisch is,' zei Lane en ze stak haar hand op. 'Maar ik zweer je dat het er meer op leek dat hij met jou een date had dan met haar. Jullie hebben bijna de hele tijd zitten praten.'

'Welnee, Lane. Aan het eind zaten ze zo ongeveer over elkaar heen te kwijlen.' Vivi stond ook op; de adrenaline verdreef haar melancholie. 'Ik ben heel blij voor haar!'

Dat is zo. Dat ben ik écht, dacht ze.

'Ja. Absoluut. Blijf jij jezelf dat maar wijsmaken,' antwoordde Lane.

Dat is zo! Dat ben ik echt!

Op dat moment stormde Isabelle weer naar binnen en huppelde naar Vivi. 'Jeetje. Ik kan nog niet geloven hoe perfect hij is. Ik ben zo blij dat jullie ervoor gezorgd hebben dat ik niet opnieuw verkering met Shawn heb gekregen. Ik had geen idee dat er zulke leuke jongens bestonden. En hij was zo aardig tegen jullie! Kunnen jullie je voorstellen dat Shawn zo met jullie zou praten als Brandon deed? Dat zou hij nooit doen.'

'Nee. Nooit,' zei Vivi en ze glimlachte triomfantelijk naar Lane.

'Dit wordt het beste gala ooit!' zei Isabelle en ze toonde al haar perfecte tanden. 'Oké. Nu moet ik plassen. Ik moest al zo ongeveer twintig minuten, maar ik wilde niet opstaan.'

Ze lachte, terwijl ze langs haar vriendinnen naar de wc achter in de zaak rende. Heel langzaam draaide Vivi zich met opgetrokken wenkbrauwen om naar Lane. Maar Lane bleef kwaad kijken en ze weigerde mee te gaan in de algemene vrolijkheid.

'Geweldig. Nu is ze stapelverliefd op hem,' zei Lane en ze zette haar handen in haar zij. 'Wat moet ze doen als ze erachter komt dat Brandon in werkelijkheid Brandon niet is?'

'Oké, weet jij nou echt niet hoe je het van de positieve kant moet bekijken?' snauwde Vivi, toen Lane haar op weg naar de deur voorbijliep.

'In dit scenario niet!' Lane draaide zich weer om, met haar armen over elkaar. 'Straks heeft ze weer een gebroken hart!'

Vivi keek rond in de zaak die na het spitsuur van de lunch halfleeg was, op zoek naar een antwoord dat de teleurgestelde Lane tot rust zou brengen. 'Nou, dan… zorgen we ervoor dat ze er nooit achter komt.'

'Uh-huh. En hoe had je je dat voorgesteld?' vroeg Lane, met één hand op een tafeltje leunend.

Vivi had geen idee en stak haar handen op. 'Ik denk dat ik gewoon iets moet verzinnen.'

'Tja, nou, sterkte ermee,' zei Lane tegen haar. 'Want óf ze hebben voor de rest van hun leven verkering, terwijl Jonathan zichzelf Brandon blijft noemen óf hij moet het met haar uitmaken zonder haar hart te breken. Probeer dat maar voor elkaar te krijgen.'

Lane draaide zich om en stampte opnieuw briesend van woede naar de deur. Vivi haastte zich om eerder dan Lane bij de deur te zijn en blokkeerde de uitgang.

'Wat is er met je aan de hand?' wilde ze weten. 'Het is niet eerlijk dat je ineens zo hoog van de toren blaast en gaat doen of dit mijn schuld is. Jij maakt hier evenzeer deel van uit als ik.'

Lane zuchtte en staarde naar de vloer. 'Ja. Misschien heb je wel gelijk. Maar op dit moment wou ik echt dat ik er niets mee te maken had,' zei ze en ze zag er treurig uit. 'Ik spreek je morgen weer.'

'Wacht! Waar ga je heen?' Vivi ging weer voor haar staan. 'We hebben met Jonathan afgesproken.'

'Ga jij maar. Je hebt me daar toch niet bij nodig,' antwoordde Lane somber.

Deze keer liet Vivi haar gaan en Lane duwde de deur zo bruusk open, dat het leek of de scharnieren zouden afknappen. Toen was ze weg. En zodra ze weg was, drong alles wat ze gezegd had pas goed tot Vivi door.

Ze voelde het schuldgevoel haar hart binnen sluipen. Alles wat ze had willen bereiken, was Izzy laten zien dat er coole jongens bestonden die niet Shawn Littig heetten, maar in plaats daarvan was Isabelle smoorverliefd op één jongen... op 'Brandon'. Vivi moest een manier bedenken om hier van af te komen zonder dat Isabelles hart gebroken zou worden.

Nadat ze Isabelle bij haar huis had afgezet, reed Vivi rechtstreeks naar het restaurant waar Lane, Jonathan en zij de eerste keer hadden afgesproken. Haar hart bonkte toen ze de parkeerplaats op draaide, maar ze maakte zichzelf wijs dat ze alleen maar opgewonden was over de volgende fase van het plan. Het had niets te maken met het alleen samenzijn met Jonathan. Haar handen waren niet eens zweterig.

Ze had verwacht om hem binnen te treffen, maar toen ze op zoek naar een plekje over de parkeerplaats sukkelde, zag ze hem tegen de achterkant van zijn gedeukte jeep geleund staan. Hij had zijn haar weer gladgekamd, maar hij droeg nog steeds zijn Brandon-kleding. Vivi grijnsde en zwaaide. Ze parkeerde haar auto vervolgens naast de zijne en stapte uit.

'Je was geweldig!' riep ze, terwijl ze snel om haar auto heen liep. Toen ze aan kwam lopen, ging Jonathan rechtop staan. 'Echt. Ongelooflijk. Ik wist niet dat je zo'n goede acteur was. Isabelle kocht je act alsof het uitverkoop was.'

'Ja. Ze lijkt me een leuke meid,' zei Jonathan.

'Ik vind het zo fijn dat je met haar naar het gala gaat,' babbelde Vivi. 'Shawn Littig behoort eindelijk, eindelijk tot het verleden!'

'Vivi... even over het gala,' zei Jonathan en hij stak zijn handen in zijn broekzakken. 'Ik denk niet dat ik het kan.'

Vivi had het gevoel of ze net in een ongelooflijk diep gat gestapt was. 'Wat?' zei ze verbijsterd. 'Je móét erheen. Ze is zo opgewonden! En je hebt net tegen haar gezegd dat je meeging! Je kunt je nu niet terugtrekken!'

'Vivi.' Jonathan zette een stap in haar richting, terwijl zijn blauwe ogen haar onderzoekend aankeken. 'Ik wil er alleen met jou naartoe.'

Vivi's hart maakte een sprongetje. 'Wat?'

'Er is iets. Tussen jou en mij,' zei hij. 'Niet tussen mij en Isabelle. Jij bent degene met wie ik wil, Vivi.'

Daarop legde hij een hand in haar nek en trok haar naar zich toe. Voordat ze adem kon halen, raakten zijn lippen de hare. Vivi voelde een golf van aantrekkingskracht, zoals ze dat nog nooit gevoeld had. Ze vleide zich tegen hem aan en zijn tong duwde haar lippen uiteen, waardoor de rillingen over haar rug liepen. Hij sloeg zijn armen om haar hals. Zijn bovenbenen duwde hij tegen haar aan. Zijn handen woelden door haar haar. Vivi had geen enkele gedachte meer, behalve dat dit ongelooflijk perfect aanvoelde.

Op dat moment werd er getoeterd.

Geschrokken deinsde Vivi terug. 'Waar zijn jullie in vredesnaam mee bezig?' riep ze, maar half met haar hoofd erbij.

Een auto vol jongens die lachten en grappen maakten, reed hen voorbij. Vivi veegde met de achterkant van haar hand haar mond af alsof ze het smerig vond, ook al was het tegendeel het geval. Hij moest echter geloven dat het wel zo was. Het moest. Omdat ze dit niet kon laten gebeuren. Jonathan was Isabelles date. Hij was voor Isabelle bedoeld.

'Je moet uit met mijn beste vriendin!' zei Vivi vastberaden en ze deed nog een stap achteruit om de afstand tussen hen te vergroten.

'Nee, Brándon moet uit met je beste vriendin!' reageerde hij met een rood hoofd. 'Maar ík wil met jóú uit!'

Vivi's ademhaling werd sneller en oppervlakkiger. Dit kon niet waar zijn. Dit was niet waar.

'Vivi, toe nou,' zei Jonathan zacht en hij kwam weer dichterbij. 'Ga met me uit. We weten allebei dat we dit willen,' zei hij met een aanbiddelijke grijns.

Eén blik op Jonathans hoopvolle gezicht zorgde ervoor dat ze het wist. Ze had er een zootje van gemaakt. Op een vreselijke manier. Niet alleen Isabelles hart zou breken in deze situatie.

Dat was allemaal aan haar en haar stompzinnige plan te wijten.

'Nee, dat doe ik niet,' zei ze toonloos.

Jonathan deed een stap achteruit en lachte ongemakkelijk.

'Wat zeg je?'

'Ik wil niet met je uit, Jonathan. Je bent absoluut mijn type niet. Je kon wel van een andere soort afstammen,' zei Vivi. De woorden kwamen als vanzelf naar boven geborreld.

'Dat meen je niet,' zei Jonathan. Zijn gezicht werd vuurrood.

'Ja, dat doe ik wel. Kijk eens naar jezelf. Je ziet eruit als in een film uit de jaren vijftig. De stijve, kakkerige, frisgewassen nerd met het kleine broertje van wie hij heel veel houdt en de stomme kleren en het... hele ik-ben-zo-beleefd-gedoe. Dat past niet bij mij. Dat past helemaal niet bij mij,' zei Vivi. 'Ik ben slordig. Ik ben luidruchtig. Ik ben nooit beleefd. Jij en ik? We passen niet bij elkaar.'

'Hoe zit het dan met het gegeven dat tegenovergestelden elkaar aantrekken?' vroeg Jonathan smekend, terwijl hij haar hand probeerde te pakken.

Vivi kreunde en trok haar arm weg. Jonathan keek pijnlijk getroffen. 'Jemig! Begrijp je subtiele hints niet?' schreeuwde ze wanhopig. 'We gaan samen niets beginnen! Ik vind je niet op die manier aantrekkelijk!'

Jonathan klemde zijn kaken op elkaar en hij staarde haar aan, alsof hij zich verraden voelde. Hij zag eruit of Vivi zojuist zijn hond had overreden.

'Het spijt me,' zei Vivi automatisch, met pijn in haar hart. 'Dat was... bot.'

'Ja, maar jij doet niet aan beleefd, toch?' snauwde Jonathan en hij deed een stap achteruit.

'Nee, het is alleen... Ik wil goed begrepen worden,' klampte Vivi zich aan die strohalm vast. 'Als jij met Isabelle naar het gala gaat...'

'Nee. Dat doe ik niet. Ik ga niet met Isabelle naar het gala. Ik stop met dit hele gedoe, hier en nu,' zei Jonathan en hij draaide zich om naar zijn auto.

'Jonathan, nee,' zei Vivi wanhopig. 'Stop.'

Jonathan ging achter het stuur zitten en sloeg het portier zo hard dicht dat het Vivi de adem benam. Ze kon hem niet laten vertrekken. Ze kon hem niet weg laten rijden en het risico lopen dat ze hem nooit meer zou zien.

'Het spijt me, oké?' riep ze boven het loeiende geluid van de motor uit. 'Kom op! Laat het me uitleggen!'

Maar hij negeerde haar. Hij draaide gewoon de parkeerplaats af en reed weg, zonder haar nog een blik waardig te keuren.

17

'Kom op, kom op, neem op!' smeekte Vivi tussen haar opeengeklemde kaken. Met één hand hield ze krampachtig haar stuur vast en met haar andere haar telefoon. Normaal had ze het altijd over veilig mobiel bellen, maar dit was een noodsituatie en ze was haar handsfreesnoertje kwijtgeraakt. Waarschijnlijk was het kwijtgeraakt onder een van haar lege fastfoodzakken, of onder de stapel gymkleren die haar auto vervuilden. 'Neem op!'

'Hoi. Je hebt Jonathan gebeld. Laat alsjeblieft een bericht achter.'

'Verdorie!'

Vivi smeet haar telefoon zo hard op de passagiersstoel, dat hij weer omhoog stuiterde en bijna uit het raam vloog. Ze reed door een oranje licht, nam een scherpe bocht naar links en racete door Washington Street.

Dit was een nachtmerrie. Hoe kon Jonathan haar dit aandoen? Als hij zo verliefd op haar was, moest hij haar dan niet proberen te helpen? Dan kon hij haar op zo'n cruciaal moment toch niet in de steek laten? Begreep hij het nu nog niet? Het ging niet om haar. Het ging niet om hen beiden. Het ging om Isabelle.

Haar mobiele telefoon ging en haar hart sloeg een slag over. Terwijl ze ernaar grabbelde, reed ze bijna tegen een brandkraan aan. Toen ze hem eindelijk in haar zweterige vingers had, ging hij al voor de vierde keer over. Ze had niet eens tijd om te kijken wie het was. Dit telefoontje mocht niet naar de voicemail doorverbonden worden.

'Hallo?' zei ze schril.

'Vivi? Gaat het wel goed met je?' vroeg Isabelle.

'O. Hoi, Iz. Alles goed hier,' zei Vivi. Ze stopte voor een rood verkeerslicht en was boos op zichzelf omdat ze het groene licht niet gehaald had.

'Weet je het zeker? Je klinkt een beetje raar,' zei Isabelle.

'Nee, het gaat goed met me. Wat is er?'

'Ik kan gewoon niet ophouden met aan Brandon te denken,' dweepte Isabelle. 'Heb je dat kleine litteken op zijn kin gezien? Waar geen stoppels zaten? Vind je dat ook niet ontzettend sexy?'

'Ontzettend,' beaamde Vivi op sombere toon.

'Hoe denk je dat hij eraan komt? Denk je dat hij het nog maar pas heeft opgelopen, met skiën of zo? Of zou het een heel oud litteken zijn, van een gevecht op de kleuterschool of zo?' filosofeerde Isabelle.

Vivi haalde diep adem. Ze ging haar zelfbeheersing niet verliezen. Echt niet. Maar waarom moest Isabelle zo vreselijk romantisch en dramatisch en sentimenteel doen? Het zou haar dood worden als ze erachter kwam dat Jonathan – Brandon – hoe hij ook heette – zich teruggetrokken had.

Misschien moet ik het haar nu wel vertellen. Dan is het maar achter de rug, net als wanneer je ergens een pleister af trekt, dacht ze.

'Ik vraag me af of hij het me zal vertellen,' ging Isabelle verrukt verder. 'Of misschien is het een of ander diep, duister geheim uit zijn verleden en moet ik hem met lieve woordjes zover zien te krijgen dat hij het vertelt.'

Toen het licht op groen sprong, drukte Vivi het gaspedaal diep in. Ze zoefde naar Lanes huis. Oké, dit moeten we oplossen. We kunnen nu niet opgeven, zei ze tegen zichzelf. Al wordt het mijn dood, Jonathan gaat met Isabelle naar het gala.

'Vivi? Ben je daar nog?' vroeg Isabelle.

'Iz, het spijt me, maar ik moet ophangen. Ik zit achter het stuur,' zei Vivi, daarmee een beroep doend op Isabelles goedhartige karakter.

'O! Sorry! Bel me straks maar terug, oké?' vroeg Isabelle.

'Doe ik absoluut. Doei!' Vivi legde de telefoon weer neer, remde piepend voor Lanes huis en rende naar de voordeur. Ze bonsde op de deur om wat van haar adrenaline kwijt te raken. Na een eeuwigheid rukte Lane de voordeur open, met een frons van bezorgdheid op haar gezicht.

'Vivi! Wat is er met je aan de hand?' vroeg ze.

'Jonathan is ervandoor gegaan,' zei Vivi, terwijl ze haar vriendin voorbij liep, de grote hal in.

'Wat?' zei Lane verbijsterd. Haar gezicht werd bleek en ze liet de voordeur in het slot vallen.

'Hij is ervandoor gegaan!' Vivi pakte de leuning van de brede trap vast en kneep erin. Ze zat zo vol opgekropte spanning dat ze het gevoel had dat ze het eikenhout in tweeën kon breken. 'Hij zei dat hij niet naar het gala gaat.'

'Wat? Waarom niet?' vroeg Lane.

Goed dan. Dit ging pijn doen. 'Omdat hij…' Vivi haalde diep adem. 'Hij is verliefd op mij. Hij wil er met mij naartoe.'

Lane zag er ineens uit of ze ging flauwvallen. Ze leunde tegen de muur naast de deur en staarde voor zich uit. 'Ik wist het.'

'Ja ja, je had gelijk. Gefelici-fucking-teerd,' zei Vivi, terwijl ze voor haar vriendin heen en weer begon te lopen. 'Hij is verliefd op mij en ik op hem. Maar dat mag geen verandering brengen in het feit dat we een afspraak hadden!'

'Vergeet die afspraak!' flapte Lane eruit en ze sloeg haar handen voor haar gezicht. 'We moeten ermee ophouden. Het is de hoogste tijd om ermee op te houden.'

'Nee! Dat kan niet! Niet nu!' zei Vivi en ze spreidde haar handen voor zich als een veroordeeld man die voor zijn leven pleit. 'Niet nu ze hem net heeft leren kennen! Niet een week voor dat verrekte gala! Het is te laat. Als ze niet met Brandon gaat, gaat ze met niemand. En we hebben het hier wel over Isabelle! Ze is Miss Gala! Als ze niet naar het gala kan en galakoningin wordt en meer van die dingen, dan maakt ze... maakt ze er een eind aan!'

Dramatisch, Vivi wist het, maar zelfs Lane kon het niet ontkennen. Isabelle had al vanaf de brugklas uitgekeken naar het gala. Ze had voor verzorging een collage gemaakt – een werkstuk waarin ze moest laten zien wat voor persoon ze wilde worden – en ieder plaatje daarin was uit een galatijdschrift geknipt. Ze had dat stomme ding nog steeds achter de binnenflap van haar galaplanner zitten.

'Bel hem dan,' zei Lane vermoeid. 'Bel hem op en zorg dat hij van gedachten verandert.'

'Denk je dat ik dat niet geprobeerd heb? Hij neemt zijn telefoon niet op,' zei Vivi. Ze zakte in elkaar op de onderste tree van de trap. 'Weet je, soms denk ik dat nummerherkenning de slechtste uitvinding ooit is.'

'Inderdaad, maar alleen als je zelf belt,' antwoordde Lane.

Vivi zuchtte. Het was tijd. Tijd om zich aan de laatste strohalm vast te klampen.

'Lane, je moet naar hem toe gaan en met hem praten.'

'Ik?' Lane zag eruit als een in het nauw gebrachte straathond.

'Ja, jij! Ik weet dat ik er een zootje van gemaakt heb en als ik kon zou ik het in orde maken, maar dat kan ik niet. Jij bent de enige die het nog in orde kan maken,' smeekte Vivi. 'Alsjeblieft. Hij wil niet naar mij luisteren, maar misschien luistert hij naar jou.' Ze keek op haar horloge. 'Het is nog vroeg. Je kunt hem nog voor het avondeten te pakken krijgen.'

'Wil je dat ik het nú doe?' vroeg Lane.

'Ja, nu,' zei Vivi. 'We hebben al kostbare tijd verloren. Bovendien, als we dit niet rechtzetten, lig ik de hele nacht wakker omdat ik me zorgen maak.'

'Nou, het spijt me om dat te horen, maar ik kan niet,' zei Lane vastbesloten. Ze schudde haar hoofd. 'Ik kan er niet heen. Ik heb andere plannen.'

Nu pas viel het Vivi op dat Lanes haar op een leuke manier opgestoken was en dat haar ogen opgemaakt waren. En dat niet alleen, ze had ook een schattig katoenen jurkje aan dat Vivi nog nooit eerder gezien had. Ze zag er leuk uit. Maar wat kon ze gaan doen dat belangrijker was dan voorkomen dat Isabelle naar het gala moest zonder date?

'Alsjeblieft, Lane? We mogen dit nu niet laten mislukken. We zijn al te ver gekomen,' zei Vivi. 'Jij was degene die zich bezorgd maakte over Isabelles gebroken hart. Wat denk je dat er gebeurt als we haar een e-mail van Brandon moeten sturen, waarin staat dat hij toch niet kan komen? Dan denkt ze dat hij haar niet aardig vond toen hij haar ontmoette. Dan denkt ze dat hij haar foeilelijk vond of zo. Als je het hebt over een gebroken hart... het zal in duizend stukjes uiteen vallen.'

Lane staarde Vivi giftig aan. 'Jij hebt dit gedaan, Vivi. Ik heb je gewaarschuwd dat dit ging gebeuren, maar je luisterde niet. Het is niet mijn verantwoordelijkheid om jouw rommel op te ruimen.'

Vivi voelde een splinternieuwe klomp schuldgevoel in haar borst ontstaan. Technisch gesproken had Lane gelijk. Dit was helemaal Vivi's eigen fout. Maar dat veranderde niets aan het feit dat het in orde gemaakt moest worden. Voor Isabelles bestwil.

'Alsjeblieft?' fluisterde Vivi. 'Kom op, Lane. Voor Isabelle. Alsjeblieft?'

Lane haalde diep adem en staarde door de hal naar de keuken. Een klein ogenblik dacht Vivi dat het mislukt was – dat alle hoop verloren was. Maar op dat moment keek Lane haar weer aan, met een berustende blik in haar ogen en met afgezakte schouders.

'Goed,' zei ze. Ze stak zwakjes haar hand op en liet hem weer vallen. 'Ik moet alleen even bellen.'

Lane remde met haar moeders Jaguar voor Jonathans huis en zette de motor uit. Ze belde Curtis' nummer voor de derde keer en hield haar adem in. Terwijl de telefoon overging, keek ze naar Jonathans huis, half in de hoop dat de oprit leeg was en het huis op slot. Helaas stonden er verschillende ramen open om de warme voorjaarslucht binnen te laten en hoorde ze muziek uit een raam op de bovenverdieping komen. Eindelijk schakelde de telefoon door.

'Curtis hier. De song van vandaag is 'Graduate', gezongen door Third Eye Blind.'

Lane kreunde tijdens de twee maten van het lied die ze in het afgelopen halfuur al twee keer had gehoord. Eindelijk, gelukkig, kwam de piep.

'Curtis, weer met Lane. Heb je mijn andere berichten gekregen?' vroeg ze, terwijl ze uitstapte en het portier dichtgooide. 'Het spijt me ontzettend dat ik weg moest, maar als je me belt en me instructies geeft hoe ik op het feest moet komen, dan zie ik je daar. Dus... bel me alsjeblieft. Oké. Dank je. Doei.'

Ze hing op en stopte de telefoon in de zak van haar jasje. Waarom had Curtis haar nog niet teruggebeld? Had hij haar berichten niet gekregen? Stond hij al een hele tijd bij haar huis aan te bellen? Of had hij haar berichten wel gekregen, maar was hij zo kwaad dat hij haar niet eens terug wilde bellen?

Ik haat Vivi. Ik haat, haat, haat, haat, haat haar! dacht Lane terwijl ze snel naar de voordeur liep en aanbelde.

Omdat ze inmiddels moordneigingen had, belde ze nogmaals aan. Ze drukte zo hard op de bel, dat ze er zeker van was dat ze haar vinger verstuikt had. Ze stond nog met haar hand te schudden toen Jonathan de deur opendeed. Zijn gezicht drukte duidelijk verbazing uit.

'Hoi,' zei Lane, die zich plotseling realiseerde dat ze zo druk geweest was met het bellen van Curtis dat ze in de verste verte niet bedacht had wat ze zou gaan zeggen.

'Hoi,' antwoordde hij. 'Kom binnen.'

Hij boog zijn hoofd en stak zijn hand in de broekzak van zijn korte broek. Misschien was het maar goed dat Vivi niet zelf was gekomen, want hij zag er met zijn lichtblauwe polo, zijn gebruinde blote benen en zijn schaapachtige uitdrukking ontzettend schattig uit.

Jonathan ging Lane voor naar de keuken, waar zijn moeder – een lange, chique vrouw met kort blond haar – groente aan het snijden was.

'Mam, dit is een vriendin van me, Lane,' zei Jonathan. 'Lane, dit is mijn moeder.'

'Hallo,' zei Lane, die zich verlegen voelde worden.

Jonathans moeder veegde haar handen aan haar schort af en glimlachte. 'Hallo, Lane. Leuk je te ontmoeten.' Daarna keek ze Jonathan vragend aan.

'We gaan even in de familiekamer zitten, oké?' vroeg Jonathan.

'Tuurlijk. Wil je iets eten of drinken, Lane?' vroeg ze.

'Nee, dank u,' zei Lane.

'Nou, roep me maar als je iets nodig hebt,' zei ze, waarna ze verder ging met snijden.

Jonathan draaide zich om en liep een paar treden op naar de familiekamer. Op de tv was een aflevering van *Junk Brothers* te zien, een van 'Brandons' favoriete programma's. Lane keek Jonathan met opgetrokken wenkbrauwen aan.

'Ja. Jullie hebben me hiertoe aangezet,' zei hij. Hij pakte de afstandsbediening en zette het geluid uit. Hij liep om de koffietafel heen en ging voor haar staan. 'Dus. Wat is er aan de hand?'

'Niets. Het spijt me dat ik je stoor,' zei ze.

'Dat doe je niet. Maar mijn vrienden kunnen elk moment komen,' zei hij. 'Dus…'

'Dus wat kom ik doen?' vroeg Lane.

'Ik denk dat ik wel weet waarom je hier bent,' antwoordde Jonathan. Hij krabde in zijn nek en keek de andere kant op, alsof hij zich ongemakkelijk voelde. 'Vivi heeft je verteld wat er gebeurd is.'

'Ze heeft me verteld dat je ermee op wilt houden,' zei Lane. 'Dus ik hoopte je over te halen om toch weer mee te doen.'

'Wauw. En je klinkt er erg enthousiast over,' grapte Jonathan.

Lane slaagde erin een zwakke glimlach te produceren. Ze liep om de tafel heen en ging voorzichtig op de armleuning van het tweezittertje zitten. 'Kijk, ik weet dat je denkt dat we allebei idioten zijn, maar Isabelle is dat niet. Ze is juist ontzettend leuk en lief en geweldig. En zij is degene die je verdriet doet als je niet komt. Misschien hadden we hier nooit mee moeten beginnen, maar dat hebben we wel gedaan. Dus ik geloof dat ik je alleen vraag om rekening te houden met haar gevoelens.'

Jonathan keek haar bijna geamuseerd aan en Lane realiseerde zich wat ze stond te beweren. Ze grinnikte en keek naar de vloer. Ze voelde zich een grote idioot.

'Rekening houden met de gevoelens van een wildvreemde

voor wie je op geen enkele manier verantwoordelijk bent,' zei ze en ze knikte erbij.

'Het spijt me,' zei Jonathan. 'Echt waar. Maar ik wist vanaf het begin dat ik hier niet aan moest beginnen. Ik weet dat je denkt dat het goed is wat je voor je vriendin probeert te doen, maar dat is het niet. Je hebt haar de kans ontnomen om voor zichzelf te beslissen.'

Lane had een hol gevoel in haar hart. Jonathan had geen idee hoe ironisch zijn woorden haar in de oren klonken. Ze had het gevoel dat ze in haar hele leven nog nooit een beslissing voor zichzelf genomen had en nu beschuldigde hij haar ervan dat ze Izzy's beslissingen voor haar nam. Was dat wat ze gedaan had? Was het mogelijk dat ze, door mee te doen met Vivi's belachelijke plan, meer verantwoordelijkheid nam voor Isabelles leven dan ze ooit voor haar eigen leven genomen had?

Op dat moment besefte ze dat ze steeds geweten had dat dit geen zin had – dat ze geen schijn van kans had om Jonathan zover te krijgen dat hij terugkwam. Ze was tenslotte binnen haar leeftijdscategorie niet de meest overtuigende persoonlijkheid. Maar ze was toch gegaan. Ze was gegaan omdat dat op de een of andere manier makkelijker was dan Vivi aankijken en nee zeggen.

Jonathan raapte zijn rugzak op van de vloer en rukte een dikke envelop uit het voorvak.

'Hier,' zei hij en hij gaf hem aan haar. 'Dit is het geld dat Vivi me gegeven heeft. Ik voel met je mee, Lane. Echt waar. Maar het is jouw probleem. Niet mijn probleem.'

'Oké,' zei Lane, met een door tranen verstikte stem. Ze kon niet geloven dat dit echt gebeurde. Isabelle zou verpletterd zijn en dat was helemaal haar schuld. Van haar en van Vivi. Niet alleen werd Izzy gedumpt door de persoon die ze haar 'droomjongen' genoemd had, maar ze moest ook naar het gala zonder date. Tenzij Shawn nog niemand gevraagd had, en dan ging ze er met de duivel zelf naartoe. Hoe had het allemaal zo fout kunnen gaan?

'Gaat het?' vroeg Jonathan. 'Je ziet eruit of je zojuist je beste vriendin bent kwijtgeraakt.'

'Of alledrie,' zei Lane treurig. Vivi zou woest zijn. Curtis zou zich gekwetst voelen. En als Isabelle gedumpt was, dan zou ze wegzinken in de diepste depressie van haar leven. Dat alles vanwege een stompzinnig plan.

'Wat bedoel je?' Jonathan was op de andere armleuning van de tweezitter gaan zitten en hij legde zijn voeten op de kussens.

'Dat wil je niet weten,' zei Lane blozend.

'Als ik het niet wilde weten, had ik het niet gevraagd,' zei Jonathan met een vriendelijke glimlach.

Lane keek hem aan. Kon ze hem echt vertellen wat er aan de hand was? Ze liep al zo lang rond zonder iemand eerlijk te vertellen wat ze zelf voelde. Maar waarom niet aan Jonathan? Hij was een aardige jongen en hij zou vast aan niemand vertellen wat ze gezegd had. Hij had zojuist zo ongeveer alle banden met haar en haar vrienden doorgesneden. Lane stopte zijn geld in haar tasje en draaide zich naar hem toe.

'Herinner je je Curtis nog?'

'De jongen uit het cafetaria op de eerste avond. Tuurlijk,' zei Jonathan. 'Hij MSN't met mijn broer over videogames.'

Lane glimlachte. 'Is dat zo?'

'Danny vindt hem veel cooler dan hij mij vindt,' zei Jonathan met een lach. 'Hoezo?'

'Het zit zo: ik ben zo ongeveer mijn hele leven al verliefd op hem,' zei Lane. Ze duwde zich overeind en liep naar de boekenkast tegen de muur. 'En hij…'

'Hij heeft er geen enkel vermoeden van,' maakte Jonathan de zin voor haar af.

'Min of meer,' zei Lane.

'Waarom heb je niets gezegd?' vroeg Jonathan.

'Omdat ik dat niet kan!' zei Lane, die zichzelf een beklagenswaardig figuur vond. 'Ik ben het al zo'n miljoen keer van plan geweest, maar iedere keer dat ik het probeer, durf ik het niet. En iedere keer dat ik het niet durf, voel ik me een grotere loser. Bovendien is hij bijna mijn hele leven al een vriend van me. En als het mis gaat, wil ik die vriendschap niet verliezen.'

'Ah.'

'Maar pas vroeg hij me om vanavond met hem naar een feest te gaan en, ik weet niet, misschien zie ik er iets in wat er niet is, maar ik denk dat hij míj meevroeg, begrijp je? Als zijn dáte,' zei Lane hoopvol.

'Dat feest is vanavond?' vroeg Jonathan en hij wees naar de vloer.

'Ja.'

'Waarom ben je dan in vredesnaam hier?' vroeg Jonathan.

Lanes gezicht werd vuurrood. Ze speelde met de rug van een oud boek op een van de planken. 'Omdat Vivi me dwong om te gaan.'

'Ze dwong je?' riep Jonathan.

'Eh, ja! Ik bedoel: we moesten toch ons plan redden? En zij kon niet naar je toe, dus…'

'Lane, begrijp me niet verkeerd, maar maak dat je wegkomt,' zei Jonathan, op een toon die niet onvriendelijk klonk.

'Wat?' vroeg ze verbijsterd.

Jonathan liep om de tafel heen en legde zijn handen op haar schouders. 'Besef je wel wat er aan de hand is? Je wilt deze jongen al je hele leven en vanavond was misschien wel je beste kans, maar in plaats daarvan ben je hier en doe je iets waar Vivi volgens jou blij van wordt. Waar Isabelle volgens jou blij van wordt. Maar jij dan?'

Lanes hart begon te bonken. Hij had gelijk. Hij had helemaal gelijk.

'Vivi heeft je gehersenspoeld,' ging Jonathan verder en hij nam zijn hoofd in zijn handen, terwijl hij gefrustreerd wegbeende. 'Ze is er op de een of andere manier in geslaagd om jou te doen geloven dat haar plan om Isabelle te helpen belangrijker is dan al het andere. Zelfs belangrijker dan jij en ik. Nou, dat is grote onzin!'

'Je hebt gelijk!' antwoordde Lane en de adrenaline gutste door haar lijf. 'Dat is complete onzin!'

'Jij bent belangrijk! Je bent een prachtige, slimme, leuke meid! Ik denk dat je die Curtis op moet snorren en hem moet vertellen dat hij een idioot is als hij niet met je uit wil,' oreerde Jonathan bombastisch en hij spreidde zijn armen.

'Ja! Dat klopt!' Lane pakte snel haar tasje.

'Goed! Ga nu!' zei Jonathan glimlachend en hij wees naar de deur.

'Oké! Ik ga!' antwoordde Lane, helemaal opgeladen. Ze draaide zich om en stormde de traptreden af, maar bij de voordeur stond ze stil en keek ze naar hem om. 'Vind je echt dat ik prachtig, slim en leuk ben?' vroeg ze zacht.

'Ga nu maar,' zei Jonathan lachend.

Dat deed ze en ze had een grote grijns op haar gezicht.

'Alles goed, Lane?' riep mevrouw Hess haar achterna.

'Alles is prima! Het was prettig om kennis met u te maken!' riep Lane terug.

Daarop sloeg ze de voordeur van Jonathans huis achter zich dicht en rende ze naar haar auto, met een van opwinding bonzend hart.

Het moet lukken. Het moet, dacht Vivi. Ze had haar telefoon tegen haar oor gedrukt terwijl ze naar boven liep om na een portie ijs naar haar kamer te gaan. Alsjeblieft, Lane. Zorg voor een wonder.

Ze liep net haar kamer binnen, waar Marshall – zoals altijd tegenwoordig – achter de computer zat, toen haar telefoon overging. Vivi's hart bonkte tegen haar ribben. Lane.

'Lane! Wat is er gebeurd?' riep Vivi gehaast in de telefoon. Marshall draaide zich op de bureaustoel om en leunde voorover, met zijn ellebogen op zijn knieën. Vivi had hem al op de hoogte gebracht van de situatie, dus hij was een en al oor.

'Hij trapte er niet in,' zei Lane. Ze klonk vreemd opgetogen. 'Hij doet niet meer mee.'

'Wat?' snauwde Vivi. De kamer draaide om haar heen. Marshall verborg zijn hoofd in zijn handen.

'Hij doet niet meer mee,' herhaalde Lane. 'Sorry. Ik moet gaan.'

'Sorry? Sórry?' gilde Vivi en ze hield de telefoon zo stevig vast dat haar vingertoppen er pijn van deden. 'Lane, waar ben je? Je kunt niet zomaar opgeven! We moeten…'

Maar Lane had al opgehangen. Vivi kreunde en belde haar onmiddellijk terug, maar ze werd meteen doorgeschakeld naar de voicemail.

'Verdorie!' riep Vivi en ze gooide haar telefoon op haar bed. 'Is hij niet van mening veranderd?' vroeg Marshall.

'Nee, Marshall, hij is niet van mening veranderd,' antwoordde Vivi op sarcastische toon en ze sloeg haar armen over elkaar. 'Jemig. Wat moeten we doen? Er moet iets zijn wat we kunnen doen,' zei ze en ze begon te ijsberen.

Marshall stond op en liep naar het raam. Hij keek naar buiten, naar de rustige straat. 'Ik vind het naar om dit te zeggen, Vivi, maar ik denk niet dat er iets gedaan kan worden,' zei hij zacht, terwijl hij op zijn duimnagel beet.

'Marshall,' snauwde Vivi gefrustreerd. 'Als je nu "zei ik het niet" gaat zeggen, dan smijt ik je meteen uit dat raam.'

'Dat doe ik niet!' antwoordde Marshall. 'Maar wat ga je nu doen? Een stand-in huren? Daar is het te laat voor! Ze heeft hem al ontmoet. Als hij niet naar het gala komt, dan komt er niemand.'

Vivi's hart was er nog nooit zo beroerd aan toe geweest. Ze kreunde en ging op de rand van haar bed zitten, zette haar ellebogen op haar bovenbenen en nam haar hoofd in haar handen. 'Dit kan niet waar zijn. Het is niet waar…'

Isabelle zou er totaal ondersteboven van zijn. Verpletterd. En waarom? Allemaal omdat zij dit belachelijke plan bedacht had. 'Ik dacht dat ik er goed aan deed,' zei Vivi en ze keek Marshall aan, terwijl ze met haar voet stampte. 'Ik wilde niet dat Shawn haar weer verdriet zou doen . Dat wilde niemand.'

'Dat weet ik,' zei Marshall eenvoudig. 'En er was een moment dat ik echt dacht dat het zou gaan lukken.'

'Meen je dat?' zei Vivi. De tranen sprongen in haar ogen.

'Ik meen het. Maar helaas…' Marshall keek naar het computerscherm. Vivi staarde naar de wit-blauwe gloed.

'Lukte het niet,' vulde ze toonloos aan. Haar hart was zo zwaar dat haar schouders ervan naar voren hingen. Dit was het. Dit was het einde. Ze had het gevoel dat ze zich had neergelegd bij een leven zonder vrienden en vol eenzaamheid. 'Je moet Isabelle schrijven en haar vertellen dat Brandon niet mee kan naar het gala.'

'Weet je het zeker?' vroeg Marshall.

'Wat kunnen we anders doen?' Vivi stond op en liet haar armen langs haar lichaam vallen. 'Hoe eerder we het doen, hoe beter het is. We kunnen haar niet tot de avond van het gala laten denken dat ze een date heeft.'

Marshall haalde diep adem en strengelde zijn vingers op zijn hoofd ineen, waardoor zijn ellebogen als vleugels naar buiten staken. Hij liet de lucht uit zijn longen stromen en draaide zich vastberaden om naar het bureau. 'Oké, laten we het maar doen.' Hij opende Isabelles MSN-venster, met haar glimlachende gezicht in de linkerbovenhoek. Door er alleen maar naar te kijken wilde Vivi al met haar hoofd tegen de muur bonken. Ze kon hier niet bij blijven. Ze moest weg.

'Ik ga naar beneden,' zei ze tegen Marshall, terwijl ze een kussen van haar bed pakte.

'Wacht even. Ga je me niet vertellen wat ik moet schrijven?' vroeg Marshall.

Vivi bleef bij de deur staan. Ze voelde tranen achter haar ogen branden. Alsof zij een idee had hoe je iemand op een zachtaardige manier kon teleurstellen. Alsof zij zichzelf zover kon krijgen om haar vriendin dit aan te doen. Ze keek haar broer aan met wijd open, onschuldige ogen en haar hart deed pijn. 'Jij bent veel aardiger dan ik, Marsh,' zei ze. 'Ik weet zeker dat wat jij bedenkt goed is.'

Vivi holde de trap af naar beneden. Ze had ineens de behoefte om zo veel mogelijk afstand te creëren tussen zichzelf en de rotzooi die ze gemaakt had. Achter haar ogen prikten de tranen en haar keel zat dichtgesnoerd. Ze had gefaald. Ze had haar vriendin op een vreselijke manier in de steek gelaten. Alleen de gedachte al aan Isabelles gezicht als ze Marshalls e-mail zou lezen, maakte dat ze met iets wilde smijten. En het was allemaal haar schuld. Ze racete naar de kelder met zijn troostende, koele duisternis. Pas toen de deur achter haar was dichtgevallen liet ze haar tranen de vrije loop.

18

Nadat ze tot tweemaal toe heel Westmont had doorgereden, op zoek naar het mysterieuze feest van Curtis en ze niets gevonden had behalve een pensioneringsfeestje voor een politieagent in het dorpshuis, ging Lane op de stoep voor de voordeur zitten wachten. Haar ouders waren naar een groot galadiner in de stad en zouden pas in de kleine uurtjes thuiskomen. Wat prettig was. Want ze wist nu in elk geval zeker dat Curtis eerder dan zij thuis zou komen, zodat ze haar niet in zwijm voor hun voordeur zouden aantreffen. Ze hoopte tenminste maar dat hij eerder thuis zou zijn. Als hij de hele nacht weg bleef, dan wist ze tamelijk zeker dat haar adrenalinegehalte verdwenen was als ze hem weer zou zien.

Eindelijk kwamen er twee koplampen de hoek om. Jeffs Mustang. Lane stond met bonzend hart op. Ze veegde haar vochtige handpalmen af aan haar jurkje en wachtte tot Jeff de oprit van Curtis' huis op reed. Ze wachtte tot Curtis uitgestapt was en met zijn vuist tegen die van de twee jongens op de achterbank gestompt had. Wachtte tot hij zich eindelijk omdraaide en haar zag.

'Lane?' zei hij.

Ergens in de verte rommelde een onweersbui. Een windvlaag blies Lanes haar in haar gezicht. Ze huiverde en trok haar jasje dichter om zich heen, terwijl ze over het gazon naar hem toe liep. Hij droeg een blauwe trui met rafels aan de manchetten en een slobberige korte broek en zijn haar zat op een perfecte manier in de war. Hij zag er heel lief uit.

'Hoi,' zei ze. 'Heb je mijn berichten gekregen?'

Hij hief zijn hand op om te laten zien dat hij zijn telefoon vasthad. 'Net pas,' zei hij verontschuldigend. 'Ik had niet eens in de gaten dat ik hem uitgezet had.'

'Heb je ze net pas gekregen?' vroeg Lane opgelucht.

'Ja. Toen ik langskwam om je op te halen en er niemand thuis was, probeerde ik je op je mobiel te bellen, maar ik kreeg steeds je voicemail. Ik dacht dat je me vergeten was.' Curtis lachte en krabde op zijn achterhoofd. 'Ik ben de hele avond boos op je geweest. Had ik nu maar op die stomme telefoon gekeken…'

Alsof ik je ooit kan vergeten, dacht Lane.

Oké. Het moment was aangebroken. Het moment om het te doen. Tijd om zich kwetsbaar op te stellen. Hij is een idioot als hij niet met je uit wil, zei Jonathans stem in haar gedachten. 'Curtis…'

'Het spijt me echt,' zei hij. 'Het had vanavond leuk moeten worden, maar in plaats daarvan liep alles in het honderd. Maar je had erbij moeten zijn. Het was hilarisch. Er kwam een jongen die me…'

'Curtis,' probeerde Lane. Maar hij ratelde verder.

'En toen zette hij een platenspeler neer en het leek wel een scène uit een slechte film. Hij ging gewo…'

'Curtis!'

Hij hield geschrokken zijn mond. 'Wat is er?'

Lanes hart hield op met slaan. Ze hield haar adem in. 'Wil je met mij naar het gala?'

Curtis' gezicht betrok. De hele wereld ging langzamer draaien. Lanes hoop werd weggespoeld door de eerste druppels regen. *Versteend* was het enige woord dat ze kon bedenken om zijn gezichtsuitdrukking te beschrijven. Grote, dikke regendruppels vielen op Lanes kruin, alsof ze haar bespotten.

'Het maakt niet uit,' zei ze achteruit lopend. 'Ik weet niet waarom ik dat vroeg. Ik...'

'Lane. Wacht,' zei Curtis. Hij sloeg zijn handen even voor zijn gezicht en deed vervolgens zijn handen naar beneden. 'Verdorie. Het is niet zo dat ik er niet met je naartoe wil...'

'Maar je wilt niet. Dat is prima. Ik begrijp het.' Lane liep achteruit over het gazon, terwijl de regendruppels sneller begonnen te vallen.

'Nee, het is alleen... ik heb al een date,' zei Curtis.

Lane had het gevoel dat er een volgspot op haar werd gericht, die haar verzengde met zijn hete, witte licht. Ze stelde zich voor dat de hele belichtingscrew van school – samen met iedereen die ze kende – op Curtis' dak stond en het licht op haar richtte, ondertussen lachend om haar vernedering. Ze wilde overgeven. Daar ter plekke, op de oprit. Dit had haar avond moeten worden. De eerste dag van de nieuwe Lane – de Lane die voor zichzelf opkwam en die kreeg wat ze wilde. In plaats daarvan was het een nachtmerrie.

'Natuurlijk. Natuurlijk heb je die,' zei Lane, terwijl ze nog steeds achteruit liep. 'Uiteraard, het gala is volgende week al. En je hebt al een smoking. Hoe was het dan mogelijk geweest dat je geen date had?'

'Nou, tot vanavond had ik er geen,' zei Curtis en hij zag er fysiek beroerd uit. 'Ik heb Kim Wolfe gevraagd. Op het feest.'

Lane was niet meer in staat om te ademen. Vanavond? Had

hij Kim Wolfe vanávond gevraagd? Op het moment dat zij bij hem zou zijn geweest? Toen zij vanavond Vivi's smerige klusje aan het opknappen was, had Curtis nog geen date gehad. Het besef van haar gemiste kans sloeg als een bliksemschicht bij haar in. Had ze maar geweten waar het feest was, was ze er maar als eerste geweest...

'Kim Wolfe?' zei Lane, terwijl haar hersenen nog niet goed functioneerden. 'Ik wist helemaal niet dat jullie samen...'

'Dat zijn we niet. Ik bedoel: we hebben geen verkering of zo. Ik heb alleen...' Curtis maakte een gefrustreerd geluid achter in zijn keel en stak zijn handen onder zijn oksels. 'Kim is...'

'Een vreselijke roddeltante met een belachelijke voorkeur voor het woord "wauwie"?' snauwde Lane. 'Wat trouwens niet eens een woord is!'

Curtis tilde verbijsterd zijn hoofd op. 'Lane...'

'Ik moet gaan,' zei Lane en ze draaide zich om. Haar kletsnatte haar zwierde om haar hoofd en kwam voor haar gezicht. Ze struikelde over een van de sproeiers die in het gazon verborgen waren. Er trad een pijnexplosie op in haar teen, maar ze liep gewoon door. Het was niets vergeleken bij de hevige pijn die ze elders had.

'Lane!'

'Ik spreek je nog wel!' zei ze in een poging om ondanks haar tranen normaal te klinken. Met trillende hand en doornat slaagde ze erin om de deurklink beet te pakken en het huis binnen te gaan. Eenmaal binnen leunde ze tegen de deur en zakte ze op de vloer. Ze hield haar gewonde teen vast en deed heel, heel erg haar best om niet te gaan huilen.

'Heel erg bedankt, Jonathan,' mompelde ze zacht. Zijn bemoedigende woorden hadden haar ertoe gebracht om dit te doen. Zijn vertrouwen in haar had er eindelijk voor gezorgd dat ze was gaan geloven dat het goed voor haar zou aflopen. Nou, ze had het eindelijk gedaan. Ze was eindelijk voor zichzelf opgekomen en ze had zichzelf op de kaart gezet.

En nu zat ze op een koude tegelvloer, helemaal doorweekt, met een kloppende blote teen in haar hand en met een gebroken hart, terwijl de tranen over haar gezicht stroomden. Het had echt geholpen.

Lane parkeerde de volgende morgen vlak achter Vivi's auto op Isabelles oprit. Vivi stapte net uit haar cabriolet. Lanes lichaamstemperatuur steeg onmiddellijk bij de aanblik van haar vriendin.

Het is allemaal jouw schuld, dacht ze en haar ogen vernauwden zich. Als jij me niet gedwongen had om op een zinloze missie naar Jonathan te gaan, dan was ik gisteravond bij Curtis geweest en dan was hij niet in de buurt van Kim 'wauwie-wauwie' Wolfe gekomen.

Vivi keek Lane ongeduldig aan en schoof haar zonnebril omhoog. 'Kom je nog of blijf je daar je stoel verwarmen?' snauwde ze.

Lane kneep haar ogen tot spleetjes. Was Vivi bóós op haar? Waarom? Omdat ze een braaf boodschappenmeisje was dat speciaal voor haar helemaal naar Cranston was gereden? Lane stapte uit haar auto, smeet het portier dicht en stampte haar op het pad naar de voordeur voorbij. 'Heeft ze jou ook gebeld?' vroeg ze kortaf.

'Natuurlijk. Waarom niet?' vroeg Vivi. Ze haastte zich achter Lane aan.

'O, dat weet ik niet. Misschien voelde ze op de een of andere manier aan dat jij de oorzaak bent van al haar ellende,' zei Lane over haar schouder, terwijl haar hart als een gek tekeerging.

'Ik! Jij bent degene die naar hem toe ging om hem over te halen zich niet terug te trekken en daarmee ben je behoorlijk de mist in gegaan,' antwoordde Vivi. Ze stak haar handen in de grote zak aan de voorkant van haar trui met capuchon. 'Heb je het wel geprobeerd, Lane? Ik bedoel écht, écht geprobeerd?'

'Natuurlijk heb ik dat!' snauwde Lane terug. Ze stak haar hand uit en belde aan. 'Maar íemand had hem zo beledigd dat hij niets meer met ons te maken wilde hebben!'

'Zo!' riep Vivi verontwaardigd uit, met haar mond wijd open. 'Jij hebt me iets te veel...'

Op dat moment zwaaide de deur open en daar stond Isabelle, zonder make-up en met haar roze pyjama van Victoria's Secret aan, terwijl er tranen uit haar opgezwollen ogen stroomden. Ze had in iedere hand ongeveer vijf verfrommelde zakdoekjes.

'H-h-hoi meiden!' jammerde ze.

Lane vergat Vivi en Curtis en Jonathan totaal. Ze vergat alles. Nog nooit in haar hele leven had Isabelle er zo ellendig uitgezien. Schuldgevoel sijpelde als ijswater haar hart binnen.

'Iz?' zei Vivi aarzelend.

Isabelle deed een stap naar voren en nam hen allebei in haar armen, terwijl ze op Lanes schouder verder snotterde. 'Ik ben zo b-b-blij dat jullie er z-z-zijn!' huilde ze.

Lane keek over Isabelles gebogen hoofd naar Vivi. Wij hebben haar dit aangedaan, dacht ze, terwijl haar ogen zich vernauwden.

Vivi rolde waarschuwend met haar ogen om haar duidelijk te maken dat ze zich koest moest houden. Daarna bevrijdde Vivi zich uit de omhelzing en sloot ze de deur. 'Kom, Iz, we gaan even zitten.'

'Oké,' snufte Isabelle.

Ze hield een van de proppen met zakdoekjes tegen haar neus en schuifelde tussen haar vriendinnen in naar de woonkamer. Op de bank in de normaal gesproken smetteloze, weelderig ingerichte kamer stonden een half opgegeten schaaltje cornflakes, drie dozen koekjes, tien romantische dvd's en Isabelles laptop. Izzy schoof met haar voet de dozen koekjes aan de kant en ging zitten. Ze zette het schaaltje op de grond om plaats voor hen te maken, en ondertussen huilde ze ontroostbaar.

'Het komt allemaal goed, Iz,' zei Lane en ze ging op de bank zitten.

'Niet waar!' jammerde Isabelle. 'Hij heeft me gedumpt! Alles ging prima, maar toen hadden we een afspraakje en daarna heeft hij me gedumpt! Weet je wel wat dat betekent?'

Er zat een brok in Lanes keel ter grootte van een voetbal.

'Dat betekent dat hij me weerzinwekkend vindt!' huilde Isabelle en ze spreidde haar handen. Een paar zakdoekjes rolden op de grond. 'Ik ben afzichtelijk lelijk!'

'Isabelle, je bent niet lelijk,' zei Vivi en ze streelde Izzy's haar. 'Kom op, je weet best dat je niet lelijk bent.'

'Waarom heeft hij me dan gedumpt?' vroeg Isabelle, terwijl ze haar gezicht afveegde. 'Jullie waren erbij! Wat deed ik verkeerd? Heb ik iets verkeerds gezegd? Heb ik hem beledigd?'

Lane raakte zo gefrustreerd dat ze wel kon gillen. Ze wilde niets liever dan haar vriendin de waarheid vertellen. Natuurlijk had ze niets verkeerds gezegd. De hele toestand was één grote leugen! Maar ze kon het niet. Want dan zou Isabelle hen allebei haten en hen eruit gooien en dan had ze zelfs geen vriendinnen meer om bij uit te huilen.

'Je hebt niets verkeerds gezegd,' zei Lane tegen haar. Ze stapelde de dvd's netjes op de salontafel en veegde een paar kruimels van de bank. 'Ik weet zeker dat er een goede verklaring voor is.'

'Nou, ik wil vreselijk graag weten welke, maar hij mailt me niet terug,' zei Isabelle, terwijl ze haar computer op schoot nam. Ze sloeg op willekeurige toetsen alsof ze het apparaat kapot wilde maken. 'Waarom! Mailt! Hij! Me! Niet! Terug!?' Ze begeleidde ieder woord met een dreun op een toets.

Lane en Vivi keken elkaar met grote ogen zeer bezorgd aan. Hoe boos Lane ook op Vivi was, dit moesten ze samen oplossen. En dit begon serieuze vormen aan te nemen.

'Oké, Iz, laat die lieve computer met rust,' zei Vivi en ze pakte de laptop van haar af en zette hem op tafel. Ze deed hem met een klik dicht. Isabelle keek er verlangend naar. 'Luister naar me, je hebt hem niet nodig,' zei Vivi. 'Hij is maar een jongen.'

'Maar hoe moet dat met het gala?' vroeg Isabelle. 'Ik heb geen date!'

'Dan gaan we toch met z'n allen. Alleen, samen,' suggereerde Vivi en ze legde haar hand op die van Isabelle.

'Echt?' vroeg Isabelle hoopvol.

'Ja! Dat is een fantastisch idee,' zei Lane, die Isabelles andere hand pakte. Haar hart deed pijn als ze aan Curtis dacht. Aan haar mislukte poging tot geluk. Maar ze slaagde erin om een bemoedigende glimlach te produceren. 'Waarom zouden we een date willen? We hebben elkaar toch?'

'We hebben elkaar,' herhaalde Isabelle en ze keek hen allebei aan met zo'n diepe dankbaarheid in haar ogen, dat Lane de haren wel uit haar hoofd kon trekken. 'Jullie zijn de beste vriendinnen van de hele wereld, weten jullie dat?'

Toen stak ze haar armen uit en trok hen allebei zo snel naar zich toe, dat ze Lane en Vivi bijna met hun hoofden tegen elkaar sloeg.

'Zonder jullie zou ik hier nooit doorheen komen,' zei Isabelle theatraal.

Lanes hart kneep zich samen in haar borstkas. Isabelle had geen idee dat ze hier helemaal niet doorheen had gehoeven, als ze zonder hen geweest was. Ze sloeg haar arm om Isabelles schouder en klopte haar onhandig op haar rug.

'Dat weten we,' zei ze en ze voelde zich een mispunt. 'Dat weten we.'

19

Vivi liep te ijsberen voor het grote raam in de woonkamer. Ze hield de rok van haar lange zwarte galajurk met twee handen omhoog. Op haar hoge hakken verzwikte ze elke paar stappen haar enkel. Ten slotte liet ze zich op de bank vallen om ze ruw uit te trekken. Waarom iedereen zich genoodzaakt leek te voelen om deze martelwerktuigen te dragen, was haar een raadsel. Ze dacht verlangend aan haar zwarte gympen die op de vloer van haar kamer lagen en vroeg zich af of het iemand op zou vallen als ze die aantrok.

'Ze is te laat. Waarom is ze te laat?' vroeg Vivi aan Lane. 'Ik zei toch dat we om zes uur foto's gingen maken? Jij was hier om zes uur. Curtis heeft gezégd dat hij later kwam, omdat Kim vanmiddag een dansdinges had, maar Isabelle heeft niets gezegd. Waar is ze in vredesnaam?'

In de keuken zat haar moeder met Lanes ouders onder het genot van een drankje wat te kletsen, terwijl ze wachtten tot de rest van de groep arriveerde. Hun gelach dreef de spot met Vivi's ongerustheid.

'Doe even rustig, wil je?' siste Lane. 'Ik raak gestrest van je.'

'Ik maak me alleen ongerust, oké?' zei Vivi. Ze keek uit het raam toen er een auto voorbijreed. 'Wat moeten we als ze is ingestort? Wat als ze besloten heeft dat ze het niet kan verdragen dat ze geen date heeft en ze nu als een bal opgerold op de vloer van haar kamer ligt?'

'Ik weet zeker dat dat niet zo is,' zei Lane, die er inmiddels tamelijk gespannen uitzag.

'Sms haar,' zei Vivi en ze sloeg haar armen over elkaar.

'Waarom moet ík haar sms'en?' vroeg Lane.

'Omdat jouw tas en telefoon daar liggen en de mijne boven,' snauwde Vivi. Waarom deed Lane zo moeilijk de laatste tijd?

Lane rolde met haar ogen en graaide haar tas van de bank. 'Best.'

Vivi bleef staan. Ze tikte met haar voet op de vloer, terwijl Lane Isabelle een sms'je stuurde. Terwijl ze op antwoord wachtten, kwam Vivi's moeder naar hen toe lopen.

'Is er alweer iemand gearriveerd?' vroeg ze.

'Nog niet,' zong Vivi en ze imiteerde sarcastisch haar moeders opgewekte toon.

'O, liefje. Je ziet er zo prachtig uit,' zei Vivi's moeder en ze sloeg haar armen stevig om haar heen. 'Heb ik al tegen je gezegd hoe fantastisch ik het vind dat je voldoende zelfvertrouwen hebt om zonder date naar het gala te gaan?'

Vivi's hart deed pijn. 'Dat heb je al gezegd.'

'Nou, dat vind ik echt. Ik vind dat het een wijs besluit is om er alleen heen te gaan, als er niemand in je leven is van wie je vindt dat hij het waard is om zo'n avond met je te delen,' zei haar moeder tegen haar. Ze legde haar hand tegen Vivi's gezicht. 'Ik ben heel trots op je.'

Vivi probeerde te glimlachen toen haar moeder wegliep. Ze zou vast niet zo trots zijn als ze wist dat ze haar kans op een droomdate had opgegeven om ervoor te zorgen dat Isabelle er wel een kon hebben. Wat op zich niet zo slecht was, als ook dat niet mislukt was. Wat een verspilling.

Plotseling piepte Lanes telefoon. Vivi ging naast haar staan zodat ze het berichtje allebei konden lezen.

ISABELLE: SORRY ZO LAAT. MAM WILDE FT MAKEN IN
TUIN. VAN MIJ&DATE!!!

Nu brak Vivi's klomp. 'Haar dáte?'

'Wat voor date?' sprak Lane verbijsterd.

'Vraag het haar!' eiste Vivi.

Lane sms'te terug.

LANE: WELKE DATE?

Het kostte Isabelle twee seconden om te antwoorden.

ISABELLE: HET IS EEN VERRASSING!! KOMEN ERAAN!!!

'Jemig! Ze gaat toch met Slettig! Ik wist het! Dit is een nachtmerrie!' riep Vivi. Ze woelde met haar handen door haar haar. Ze liep naar het raam en weer terug en voelde zich als een gekooide tijger.

'Dat weten we niet zeker,' zei Lane.

'Wie kan het dan zijn? Waarom zou ze het voor ons geheimhouden als het Shawn niet is?' vroeg Vivi zich hardop af en ze sloeg haar armen over elkaar. 'Ik kan het niet geloven. Ik kan niet geloven dat ze na alles wat we gedaan hebben toch met Slettig gaat.'

Hoe was dit mogelijk? Hoe had ze zo de controle kunnen verliezen?

Op dat moment hoorde Vivi voetstappen op de trap. Ze keek

op en zag haar broer in smoking de trap af komen. Er zat gel in zijn blonde haar, maar op een nonchalante manier – niet zoals gewoonlijk als een soort helm – en hij zag er erg knap uit. Er was maar één probleem.

'Wat denk je dat je gaat doen?' wilde ze weten.

'Ik ga naar het gala,' antwoordde Marshall en hij deed met een glimlach zijn revers goed.

'Eh, Marshall, ik zeg dit niet graag tegen je, maar je doet nog geen eindexamen,' zei Vivi.

'Ik heb hem gezegd dat hij mijn introducé mocht zijn,' zei Lane en ze deed een stap naar voren.

'Wat?' zei Vivi verwonderd.

'Wauw, Marshall, erg James Bond,' zei Lane waarderend en ze veegde een stofje van zijn schouder.

'Dank je,' zei Marshall. Hij draaide zich om en ging er als een model bij staan. 'Swayne. Marshall Swayne.'

'Nerd. Grote nerd,' verbeterde Vivi.

'Vivi. Wat is je probleem?' vroeg Lane.

'Mijn probleem?' Vivi begon weer te ijsberen. 'Mijn probleem is dat we zonder date zouden gaan, weet je nog? We hadden een afspraak! We hebben het aan Isabelle beloofd.'

'Ik ben niet echt haar date,' legde Marshall uit.

'Nee. Ik vond gewoon dat hij ernaartoe mocht. Je weet wel, na alles waartoe we hem gedwongen hebben,' antwoordde Lane. 'En bovendien, Isabelle heeft nu ook een date, dus…'

'Is dat zo?' vroeg Marshall.

'Ja en dat betekent dat ik de enige ben zonder date!' zei Vivi kwaad.

Vanuit haar ooghoek zag Vivi dat er een extra lange Mercedes limo kwam aanrijden, die voor hun huis stopte. Het was zover. Alles was nu officieel buiten haar invloedssfeer geraakt.

'Ze zijn er!' schreeuwde ze naar haar moeder, gewoon omdat

ze een enorme behoefte voelde om te schreeuwen.

Ze liet zich met Lane en Marshall op haar knieën op de bank vallen om naar buiten te kijken. Ondertussen liepen alle ouders naar de voordeur om de nieuwkomers te begroeten.

'Ik kan niet wachten tot ik Isabelles jurk zie,' zei Lanes moeder, terwijl ze op haar hoge hakken voorbij klik-klakte. 'Dat meisje heeft altijd al een voortreffelijke smaak gehad.'

'Behalve wanneer het om jongens gaat,' zei Vivi zacht. Ze voelde zich misselijk. 'Ik zweer het je, als Shawn Slettig uit die auto stapt...'

De zilveren Infiniti van Isabelles vader stopte achter de limo en haar ouders stapten uit. Op dat moment ging het achterportier van de limo open en daar verscheen...

Jonathan Hess.

'Jonathan?' zei Vivi niet-begrijpend en ze hapte naar lucht. Hoe ze ook probeerde, ze kon geen coherente gedachte meer produceren. Jonathan was hier. Als er op dat moment een scout uit Hollywood langsgekomen was, dan was hij opgepikt en binnen vierentwintig uur op een rode loper gezet. Hij zag er schitterend uit. Goedgesneden zwarte smoking. Lange grijze das. Zijn haar sexy in de war. Perfectie. Hij liep om de auto heen naar het andere achterportier en opende het voor Izzy. Vivi kon het niet langer aanzien. Ze draaide zich om en plofte op de bank neer. 'Maar hoe...?'

'Ik denk dat ik iets gezegd heb dat hem overgehaald heeft,' zei Lane opgetogen.

Vivi had het gevoel dat niets ooit nog logisch zou lijken. 'Ik denk dat je gelijk hebt,' zei ze aarzelend. 'Maar waarom heeft ze ons niet verteld dat hij van gedachten veranderd is? Ze was de hele week totaal van streek. Je mag toch verwachten dat ze ons verteld zou hebben dat hij kwam. Waarom heeft ze niet...?'

'Wat maakt het uit?' zong Lane met stralende ogen. 'Hij is er!

Brandon is toch gekomen! Jemig, Vivi! Het is gelukt! Isabelle heeft haar droomdate!'

Zomaar ineens was het of alle spanning tussen Lane en Vivi verdwenen was. Het was allemaal niet voor niets geweest. Alle discussies, alle plannen, alle zorgen. Het was echt gelukt.

In de hal begroetten Vivi's moeder en Lanes ouders Isabelle en haar ouders en Jonathan.

'O, Isabelle! Wat zie je er prachtig uit!' dweepte Lanes moeder.

'Net een prinses uit een toneelstuk van Shakespeare,' was Vivi's moeder het met haar eens.

'En wie is deze knappe jongeman?' vroeg Lanes moeder.

'Brandon. Prettig met u kennis te maken.'

Vivi's hersenen werden wazig bij het horen van zijn stem. Ze voelde zich slapjes. Jonathan zou hier niet moeten zijn. Hij hoorde niet in haar huis te staan met een catwalk-uiterlijk en haar beste vriendin naast zich.

'Wen er maar aan, Vivi. Je zou opgetogen moeten zijn!' zei Lane. 'Je plan is geslaagd. Ze is niet met Shawn. Het is je gelukt!'

'Het is óns gelukt,' corrigeerde Marshall.

Vivi haalde diep adem. Lane had gelijk. Dit was een moment voor feestvreugde. Ze hadden het echt voor elkaar gekregen. Isabelle was gelukkig. Ze ging met de jongen van haar dromen naar het gala. Vivi wilde alleen dat hij niet ook de jongen van háár dromen was. Maar ze had geen keus.

'Je hebt gelijk,' zei ze ten slotte en ze streek haar jurk glad. Ze schraapte haar keel, schudde haar haar naar achteren en nam het besluit om haar gevoelens voor de rest van de avond opzij te zetten. Dit was voor Isabelle. Het ging vanavond om Isabelle. En misschien, heel misschien, kwam alles toch nog goed. 'Kom op,' zei ze tegen haar medesamenzweerders. 'Laten we met deze soapopera beginnen.'

Hoe ben ik hier in vredesnaam terechtgekomen? dacht Vivi, terwijl de zon genadeloos op haar gezicht brandde. Ze stond midden in de tuin, aan haar ene kant geflankeerd door de Roze Prinses Isabelle en de Filmgod Jonathan en aan de andere kant door Gelukkige Lane en Altijd-In-De-Weg-Lopende Marshall. Als iemand haar drie jaar geleden verteld zou hebben dat ze zonder date naar het gala zou gaan, terwijl een van haar vriendinnen met haar broer ging en de andere met de jongen op wie ze smoorverliefd was, dan had ze die persoon een mep verkocht. Maar hier stond ze. En hoe meer Jonathan Isabelle aan het giechelen maakte en ervoor zorgde dat ze tevreden met zichzelf was, hoe serieuzer Vivi overwoog om zich om te kleden in een T-shirt en zich met een bak ijs terug te trekken in de kelder om een filmmarathon van de X-Men te houden.

Nee. Zelfs zij waren te romantisch.

'Hallo allemaal! Veel plezier op het gala!' riep Curtis en hij kwam door de achterdeur het gazon op lopen.

'Wauwie! Wauwie!' juichte Kim Wolfe en in haar overdreven groene jurk stak ze haar handen omhoog.

Vivi's maag draaide zich om en ze keek naar Lane, die haar glimlach totaal kwijt was. Oké. Misschien was Gelukkige Lane toch niet zo slecht geweest. Depressieve Lane was helemaal beroerd. De ouders van Curtis en Kim verschenen achter hen bij de achterdeur en Vivi's moeder en de andere ouders haastten zich om hen te begroeten.

'Hoe gaat het, man?' vroeg Curtis en hij gaf Marshall een high five. Curtis had een zwarte smoking aan met een rode stropdas met kleurrijke cirkels erop. Bij ieder ander zou het er belachelijk uitzien, maar het stond Curtis gewoon charmant. 'Hallo Vivi,' zei hij en hij stak zijn handen in zijn zakken. 'Lane,' voegde hij er wat onhandig aan toe.

'Hoi,' zei Lane. Op dat moment kwam Kim naast hem staan. Ze stak haar arm door de zijne.

'Hoi allemaal!' zong ze.

Lane draaide zich om en begaf zich naar de patio. 'Ik heb trek in citroenlimonade.'

Curtis keek Vivi onzeker aan, maar voordat ze zelfs maar iets kon bedenken om te zeggen, kwam Isabelle naar hen toe om Jonathan voor te stellen.

'Curtis, Kim, dit is Brandon,' zei Izzy.

'Prettig kennis te maken,' zei Curtis.

Daarop volgde een pijnlijke stilte.

'Tja, ik heb ook dorst,' zei Curtis ten slotte. 'Wie wil er iets drinken?'

'Ik ga met je mee!' zei Isabelle.

Daarop draaiden ze zich om en gingen de groep voor naar de patio, waar Lane in een stoel met een zuur gezicht gezoete citroenlimonade zat te drinken. Nu Isabelles rug naar hen toe gekeerd was, zag Vivi haar kans schoon. Ze pakte Jonathans arm en trok hem achter de gigantische rododendron bij de schutting.

'Vivi! Wat doe je? Straks wordt Isabelle achterdochtig,' protesteerde Jonathan.

'Kan me niet schelen. We moeten praten,' zei Vivi.

Jonathan zag eruit als een rat in de val. Zijn ogen schoten heen en weer en hij schuifelde met zijn voeten.

'Nou, allereerst heel erg bedankt dat je gekomen bent,' zei Vivi. 'Na de manier waarop we afscheid namen…'

'Tja, Lane was erg overtuigend,' zei Jonathan.

Dat deed pijn. Niet dat ze verwacht had dat hij zou zeggen dat hij háár per se weer wilde zien, maar toch deed het om de een of andere reden pijn.

'Oké. Nou, fijn zo,' zei Vivi met haar handen in haar zij.

'Mag ik nu weg?' Jonathan zag er erg ongemakkelijk uit.

'Nee! Wacht! We hebben nog geen kans gehad om te bespreken hoe het verder moet,' zei Vivi. Haar hart bonkte in haar keel.

Jonathan kreeg een rimpel in zijn voorhoofd. Zelfs dat stond hem fantastisch. 'Hoe het verder moet?'

'Ja. Wat je gaat zeggen... je weet wel... om haar op een draaglijke manier te dumpen,' zei Vivi. Ze walgde van zichzelf. Ze wist dat hij dit gedoe haatte, het liegen en plannen maken, maar ze moest het doen. 'Niemand verwacht van je dat je altijd Brandon blijft spelen. De afspraak was dat je haar mee zou nemen naar het gala. Daarom hebben we bedacht wat je tegen haar kunt zeggen om haar te laten weten dat je na vanavond niet meer met haar uitgaat.'

Even keek Jonathan haar ongelovig aan, maar toen rechtte hij zijn rug en keek haar strak aan. 'Ik ben een en al oor.'

'We dachten dat je haar misschien kon vertellen dat je de hele zomer weggaat naar een conservatorium of zoiets. Om muziek te studeren. Ergens ver weg,' legde Vivi snel uit. 'Vertel haar dat het een serieus programma is waar je je helemaal op moet storten en dat je geen afleiding mag hebben als e-mails of zo.'

'Serieus? Is dat jullie plan?' Jonathans toon was spottend.

'Hoe bedoel je? Ze zal het prachtig vinden dat je zo toegewijd bent aan de muziek. Je kunt haar gewoon vertellen dat je het geweldig vindt dat je haar hebt leren kennen, maar dat je je nu op je toekomst moet richten. Dan gaat het net als in ieder waardeloos romannetje dat ze ooit gelezen heeft. Ze verslindt ze 's zomers op het strand in een tempo van twee per dag,' vertelde Vivi hem. 'Ze vormen haar zondige plezier.'

'Oké. Dus ik ga naar een conservatorium in een ver land waar ik geen toegang heb tot e-mail,' zei Jonathan. 'Best. Maar als ze daar in trapt, dan is ze niet zo slim als jullie haar altijd aan me voorgespiegeld hebben.'

Wauw. Hij gaf echt helemaal niet mee.

'Het lukt wel,' zei Vivi defensief. 'Ik ken haar iets beter dan jij.'

'Prima,' zei Jonathan. 'We moeten gaan, voordat iemand doorkrijgt dat we allebei weg zijn. Hoe laat komt jouw date?'

Vivi's maag kromp ineen. 'Ik heb geen date, weet je nog?'

Ze haatte de bijna hoopvolle klank in haar stem, maar het was te laat om haar woorden weer in te slikken. En ze wás ook hoopvol. Hoopvol dat hij iets zou doen. Haar in zijn armen nemen. Haar zoenen. Haar vertellen dat hij wilde dat hij hier met haar was in plaats van met Izzy. Het maakte niet uit wat.

Maar zijn prachtige gezicht bleef blanco. 'O ja. Dat is ook zo. Tja.'

En dat was alles. Hij draaide zich om en glipte terug de tuin in, Vivi alleen achterlatend met tranen die ze niet kon vergieten.

Terwijl ze omringd door haar klasgenoten midden op de dansvloer aan het dansen was, had Lane het gevoel dat ze droomde. Dit kon haar eindexamengala niet zijn. Hoe had het zo snel zover kunnen zijn? Het ene moment was ze een brugklasser die vol ontzag opkeek naar de lange, zelfverzekerde examenleerlingen en nu was ze zelf een examenleerling, had ze geen zelfvertrouwen en boezemde ze geen ontzag in, laat staan dat ze lang was. Ze had verwacht dat de dingen anders zouden zijn tegen de tijd dat ze in het examenjaar zat. Dan zou ze cool en zelfverzekerd zijn, geheel overtuigd van wie ze was en waar ze naar op weg was – net als al die oudere meisjes haar hadden geleken toen ze net op de middelbare school zat. Maar hier was ze nu, slechts een maand van haar diploma verwijderd, aan het dansen op het gala met de jongere broer van haar vriendin, omdat ze geen date had kunnen krijgen met de jongen met wie ze naar het gala had willen gaan. De jongen die op dit moment aan de andere kant van de dansvloer met Kim aan het schuifelen was.

Lane danste om Marshall heen tot ze met haar rug naar Curtis toe danste. Dat was iets wat ze niet hoefde te zien. Dat was in elk geval iets waar ze wel zeker van was.

'Heb je het naar je zin?' vroeg ze aan Marshall.

Hij slaagde erin om te knikken terwijl hij doorging met op de maat van de muziek naar voor en naar achter te stappen – een van die slijmerige dansversies van een indringend liefdeslied van vroeger, waar Lane een gruwelijke hekel aan had. Als de laatste twee nummers een indicatie waren, hield de dj er helaas wel van. 'Sorry. Ik ben niet zo'n goede danser,' zei Marshall.

'Je bent veel beter dan de meeste jongens hier,' zei Lane tegen hem. 'Je danst in elk geval in de maat.'

Marshall grijnsde. 'Ja. Dat is misschien wel een goed punt.'

'Jemig, Lane, wie is die jongen bij Isabelle?' vroeg Jenny Lang en ze pakte Lane bij haar arm.

'Zijn naam is Brandon. Hij komt uit Connecticut,' loog Lane.

'Verdorie. Ik wou dat ik was gaan vragen bij de Universiteit van Connecticut. Als ze daar zulke jongens voortbrengen,' zei Jenny blozend. 'Hij is de allerleukste jongen hier.' Haar ogen richtten zich op Marshall. 'Niet beledigend bedoeld.'

'Begrijp ik,' schreeuwde Marshall om boven de muziek uit gehoord te worden.

'Kíjk dan naar hen!' zei Jenny met wijd open ogen. 'Hij is ontzettend innig met haar. Hoe lang hebben ze al verkering?'

Ontzettend innig met haar? dacht Lane in verwarring. Ze keek naar Isabelle en Jonathan en inderdaad, ze stonden midden op de dansvloer zo ongeveer tegen elkaar aan gekleefd. In plaats van net als iedereen op de halfidiote beat van de muziek te dansen, bewogen zij zich langzaam heen en weer, terwijl ze elkaar diep in de ogen keken. Jonathans hand bewoog zich van boven naar beneden over Isabelles rug. Ze zuchtte, sloot haar ogen en leunde met haar wang tegen zijn borst.

'Eh… nog niet zo lang,' antwoordde Lane ten slotte.

'Nou, het is duidelijk dat ze verliefd zijn,' zei Jenny. 'Iedereen heeft het erover.'

'Is dat zo?' vroeg Lane.

'Wat dacht je dan? Niemand heeft ooit begrepen wat ze met die Shawn Littig moest. Fijn voor haar. Doei!' zei Jenny, voordat ze weer in de menigte verdween.

'Gaat het wel?' vroeg Marshall aan Lane.

'Wat gebeurt daar allemaal?' vroeg Lane zacht aan hem. 'Ze zien eruit of ze elkaars verlorengewaande geliefden zijn of zo.'

Marshall keek in hun richting, schraapte zijn keel en keek snel weer weg. 'Tja, misschien doet hij gewoon alsof.'

'Dat heeft niemand hem opgedragen,' zei Lane ademloos, toen Jonathans hand Izzy's achterste vastgreep.

Isabelle keek Jonathan geschrokken aan, maar toen lachten ze allebei. Isabelle straalde helemaal. Haar gezicht was rood, haar ogen schitterden. Ze viel helemaal voor hem.

'Jemig, luitjes!' zong Vivi. Ze zigzagde over de overvolle dansvloer om bij hen te komen. 'Hebben jullie Slettig gezien? Hij is helemaal groen!'

Vivi hief haar hand om Shawn aan te wijzen, maar het kostte Lane even om hem te vinden. Dat kwam omdat hij niet op de dansvloer stond, maar ineengedoken aan een tafel aan de rand zat, terwijl hij met moordlustige blik naar Isabelle en Jonathan keek.

'Misschien helpt het ook niet dat Tricia Blank al de hele avond haar tong in de keel van Dell Landry heeft,' legde Marshall uit en hij knikte naar de hoek waar Tricia opgerold op de schoot van de middenvelder zat.

'Absoluut niet,' zei Vivi lachend, terwijl ze haar lange blonde haar over haar schouder zwaaide.

'Ik hoop alleen maar dat Shawn geen ruzie gaat zoeken met

Jonathan,' zei Lane. 'Ik geloof niet dat hij zich heeft ingeschreven voor een reisje naar de Eerste Hulp.'

'Klopt. Dat komt wel goed,' zei Vivi. 'Ik weet zeker dat Jonathan zich wel kan redden.' Voor het eerst keek ze naar het paar dat zij had samengesteld en haar gezicht betrok helemaal. Lanes hart ging naar haar uit. Ze wist dat Vivi zag wat zíj zag. Twee mensen die totaal in elkaar opgingen.

'Vivi,' begon Lane.

'Weet je wat?' zei Vivi, die zich meesterlijk herstelde. Ze stak haar arm op; haar smalle, zilverkleurige camera bungelde aan haar pols. 'Ik denk dat ik een foto van Shawn ga nemen om dit voor het nageslacht vast te leggen.'

Lane zuchtte toen Vivi ervandoor ging. Ze wilde dat Vivi gewoon toegaf wat ze voor Jonathan voelde. Maar aan de andere kant had het weinig tot geen zin, als het zo doorging. Jonathan streelde onder het dansen Isabelles gezicht met zijn vingertoppen, terwijl hij haar nog steeds diep in de ogen keek.

'Dit is niet te geloven,' zei Lane en ze keek Marshall aan – die verlangend naar Isabelle en Jonathan keek.

Plotseling herinnerde Lane zich alle keren dat zij en Izzy bij hem thuis geweest waren en hij geprobeerd had zich in het gesprek te mengen, waarbij Vivi hem steeds afkatte. Ze herinnerde zich hoe fantastisch hij was geweest op de avond dat Izzy had uitgevonden dat Shawn haar bedroog, door Izzy's lievelingsfrisdrank te serveren. Ze herinnerde zich hoe nerveus hij aanvankelijk was geweest over het plan om met Isabelle te gaan MSN'en, maar hoe fanatiek hij was geweest toen hij er eenmaal mee begonnen was. Als ze daar de nieuwe kleren bij optelde, het nieuwe kapsel, het feit dat hij erbij was toen Isabelle voor het eerst een date met 'Brandon' had… Hij was er natuurlijk geweest om Jonathan te bekijken. Om in te schatten hoe de persoon was die zijn plek innam bij Isabelle. En toen begreep ze het.

'Jemig! Marshall! Je bent verliefd op Isabelle!' riep ze ademloos.

'Wat? Nee hoor,' zei Marshall snel. Hij bloosde en keek de andere kant op.

Het danslied eindigde en er werd een langzaam nummer opgezet. De helft van de mensen verliet de dansvloer, maar Lane klampte zich aan Marshall vast.

'Het is wel waar!' fluisterde ze. 'Je stond smoorverliefd naar haar te staren! Ik ken die blik! Je bent verliefd op Izzy!'

'Nietes!' siste Marshall.

'Ik kan me niet voorstellen dat ik dit niet eerder gezien heb,' zei Lane grijnzend. 'Marshall, waarom ga je niet…?'

'Lane, ik ben niet verliefd op Isabelle, oké?' Hij zuchtte gefrustreerd en keek om zich heen om te zien of er iemand binnen gehoorsafstand was. Daarna boog hij zich naar Lane toe. 'Kun je een geheim bewaren?'

'Natuurlijk,' antwoordde Lane.

Marshall haalde diep adem. Heel even beet hij op zijn onderlip en toen flapte hij het eruit. 'Ik stond niet naar Isabelle te staren, maar naar Jonathan.'

Lane hield op met dansen.

'Ik ben homo, Lane,' fluisterde Marshall en hij wendde zijn blik af. 'Maar je mag het aan niemand vertellen. Vooral niet aan Vivi. Dat moet je me zweren.'

'Ik zweer het,' zei Lane buiten adem. Ze was niet zo erg van streek. Ze was wel onder de indruk van het feit dat zij de eerste was die het te horen kreeg. En dat hij verliefd was op Jonathan. Weer een complicatie in hun grote web.

Marshall liet zijn armen langs zijn lichaam vallen en zuchtte. 'Misschien moeten we even uitrusten.'

'Klinkt goed,' zei Lane, die graag even wilde zitten en haar gedachten wilde ordenen.

Ze draaide zich om om van de dansvloer af te lopen en botste daarbij bijna tegen Curtis op. Curtis, die daar helemaal alleen in zijn perfecte smoking en zijn maffe rode das stond. Lanes hart bonkte pijnlijk en ze keek om zich heen naar een ontsnappingsmogelijkheid. Maar op dat moment opende Curtis zijn armen en trok hij zijn wenkbrauwen op. 'Zullen we?'

'Tuurlijk,' bracht Lane eruit.

Ze durfde hem nauwelijks aan te kijken toen hij zijn armen om haar middel sloeg en begon te bewegen. Ze geneerde zich te veel, ze was te gespannen, te alles. Ze keek naar hem op en zag dat hij haar recht aankeek, waarop ze terugdeinsde en snel de andere kant op keek.

Zeg iets! Het maakt niet uit wat! sprak Lane zichzelf bestraffend toe.

'Ik vind je jurk mooi,' zei Curtis ten slotte.

'Dank je. Jij hebt een mooie smoking uitgezocht,' antwoordde Lane.

'Ik dacht dat ík mooi was.'

'Dat is ook zo.'

'Fijn.'

'Fijn.'

Er viel een lange stilte terwijl ze verder dansten. Lane begon zich net af te vragen of dit vervelende lied ooit nog zou ophouden, zodat ze weer kon ademhalen, toen Curtis begon te praten.

'Lane, er is iets wat ik je wil zeggen,' zei hij. Hij stopte met dansen.

De hele wereld werd rustig. Eén moment leek het of het helemaal stil werd. Lane wist dat wat hij nu ging zeggen haar hele leven zou veranderen. Ze wist het op de een of andere manier absoluut zeker. Of hij ging haar hart breken of hij ging het hele jaar goed maken. Ze keek in zijn warme bruine ogen en zette zich schrap.

'Ja?'

'Ik wil dat je weet dat ik…'

'Curtis! Kom op!' Uit het niets verscheen Kim en ze pakte Curtis' arm. 'Ze nemen een foto van onze tafel! Dat mogen we niet missen! Wauwie wauwie!'

Ze rukte aan Curtis' arm en hij struikelde mee, terwijl hij met een verontschuldigende blik omkeek naar Lane. Ineens begon de hele wereld weer te draaien – harde muziek, lachende stemmen, goedkope parfum – en Lane had opnieuw haar moment gemist.

20

Vivi schoof helemaal naar de andere kant van de bank in de limousine en staarde uit het raam. Als ze nog één minuut moest aanzien hoe Izzy en Jonathan als twee verliefde tortelduifjes naar elkaar zaten te kijken, dan liep ze serieus de kans om van ellende te sterven.

Lieve hemel, ik wou dat ik de afterparty kon overslaan, dacht ze bij zichzelf toen haar vrienden zeeën van tijd leken te hebben bij het instappen. Maar dat was niet mogelijk. Ze moest er zijn als Jonathan het uitmaakte met Isabelle. Als hij het met haar uitmaakte. Zoals het er nu uitzag, leek het er meer op dat ze hard op weg waren naar verlovingsringen en twee komma vijf kinderen.

'Hé!' fluisterde Curtis en hij tikte op haar arm terwijl hij achter haar aan instapte. 'Operatie Opruiming Slettig loopt lekker, hè? Isabelle is gek op die jongen!'

Vivi kreeg een knoop in haar maag. 'Ja. Geweldig.'

Curtis keek haar even verbaasd aan en ging tegenover haar zitten. Kim, die de foto's op haar digitale camera aan het bekijken was, kwam snel naast hem zitten. Marshall ging naast haar zitten en Lane perste zich daar weer naast. Op die manier bleef de plek naast Vivi vrij voor het liefdespaar van de eeuw. Jonathan ging vlak naast Vivi zitten. Zijn bovenbeen raakte het hare en ze schoof nog dichter naar het raam.

Dood me. Dood me maar, nu meteen, dacht ze.

'Waarom zit je helemaal daar?' zei Jonathan tegen Isabelle zodra het portier gesloten was. Vivi keek vol afschuw toe hoe hij Isabelle op zijn schoot trok. Ze giechelde blij, terwijl het kroontje van de galakoningin enigszins scheef kwam te staan.

'Brandon,' zei ze plagerig en gaf hem een klap op zijn schouder. Maar ze ging niet van zijn schoot. In plaats daarvan schopte ze haar zilveren schoenen uit, die natuurlijk op Vivi's voeten terechtkwamen.

'Ja! Wauwie! Wauwie!' juichte Kim Wolfe en ze klom ook op Curtis' schoot.

Vivi staarde naar Lane, die in de ruime auto helemaal aan de overkant zat. Het plan was gelukt, maar op de een of andere manier kon de avond niet slechter meer worden.

'Chauffeur! Naar het huis van Dell Landry!' riep Isabelle opgewekt.

'Goed mevrouw,' antwoordde de chauffeur.

Het was gelukkig maar een korte rit en Kim vulde de tijd door haar camera door te geven en iedereen naar haar 'schitterende' foto's te laten kijken. Op de meeste foto's waren haar vriendinnen te zien, in sletterige poses op de dansvloer. Jonathan en Izzy negeerden echter haar smeekbeden om de camera aan te pakken. Ze waren samen aan het fluisteren en giechelen, terwijl Jonathan zijn armen om Isabelles smalle taille hield. Toen de limo eindelijk de brede oprit van het gigantische huis van hun klasgenoot op reed, moest Vivi haar nagels in haar handpalm zetten om te voorkomen dat ze zich de auto uit zou vechten.

'Gaat het wel?' vroeg Lane aan Vivi. Ze ging naast haar lopen in de rij die naar de voordeur en de herrie binnen leidde.

'Het gaat prima. Helemaal, helemaal prima,' zei Vivi met gebalde vuisten.

'Meiden! Wacht even!' riep Isabelle hen achterna. Ze kwam aangerend in haar lange rok en op haar hoge hakken. Vivi ging niet langzamer lopen, maar Isabelle haalde hen toch in. 'Jemig, meiden. Brandon is echt fantastisch!'

Lane keek Vivi meewarig aan. Vivi stelde haar medeleven op prijs, ook al ergerde ze zich er ook aan. Ze wilde maar één ding: in vredesnaam hier weg.

'Heel fantastisch,' zei Lane en ze legde haar hand op Izzy's arm. 'Heb je gezien hoe hij me aankijkt? O, meiden, het is zo geweldig!' dweepte Isabelle, terwijl ze zich door de deur wrongen. 'Ik weet dat het idioot klinkt, maar ik denk dat hij me gaat vertellen dat hij van me houdt.'

'Wat!?' flapte Vivi eruit en ze stond midden in de marmeren hal stil. Een groep jongeren die al rondliepen met champagne en bier in hun hand, bleven staan om hen aan te staren, maar kregen al snel in de gaten dat er niets interessants aan de hand was, waarop ze weer verder dartelden. 'Jullie kennen elkaar nauwelijks,' zei Vivi.

'Dat weet ik, maar hij loopt al de hele avond hints te geven,' dweepte Isabelle met haar hand op haar hart. 'Hij zegt bijvoorbeeld steeds dat er iets is wat hij me echt wil vertellen. En dat hij nog nooit iemand zoals ik ontmoet heeft. En dan wordt zijn stem helemaal schor en ik zweer je dat ik daar vanbinnen sentimenteel van word. Het is zo intens.'

Vivi wierp een blik door de open deur naar binnen en zag dat Marshall, Curtis en Jonathan met z'n allen voor Kim poseerden. Jonathan had een ik-ben-als-Brandon-supercool-grijns op zijn gezicht. Ze had er heel wat voor over als ze die van zijn onbetrouwbare tronie kon slaan. Had hij niet vorige week nog tegen Vivi gezegd dat hij verliefd was op háár?

'En weet je wat ik nu echt raar vind?' zei Isabelle. Ze keek om zich heen, pakte hen allebei bij hun arm en trok hen mee naar de muur, achter een grote plant. Vivi staarde haar opgetogen vriendin aan, verlamd van angst voor wat er komen ging. 'Weet je wat ik echt raar vind?' herhaalde Isabelle met dromerige bruine ogen. 'Ik denk dat ik ook van hem houd.'

'Isabelle,' zei Lane. Ze klonk gekweld.

Vivi kreeg een grote brok in haar keel.

'Ik wil jullie heel erg bedanken dat jullie me overgehaald hebben om met hem naar het gala te gaan!' Isabelle gaf hun een snelle knuffel en haastte zich vervolgens weg om zich in Jonathans open armen te werpen.

'Ik kan hier niet tegen,' zei Vivi zacht. 'Ik kan hier helemaal niet tegen.'

'Het komt goed,' zei Lane. 'Het komt wel goed.'

Maar Vivi voelde plotseling dat haar kip massala zich in haar maag niet lekker voelde. Ze draaide zich om, duwde Kim Wolfe opzij en sprintte naar het toilet.

'Hup, Curtis! Hup, Curtis! Hup! Hup! Hup, Curtis!'

Vivi, Lane en Isabelle zaten met z'n allen op een van de leren banken in de woonkamer van Dell en ze lachten zich tranen om Curtis, die helemaal alleen op de stenen salontafel aan het dansen was. Zijn jasje was uit, zijn stropdas had hij om zijn hoofd gewonden en zijn overhemd hing uit zijn broek. Overal om hem heen staken zijn aangeschoten klasgenoten hun armen omhoog om hem toe te juichen. Nu Jonathan en Marshall nergens te bekennen waren, voelde Vivi zich relaxter dan ze zich de hele avond gevoeld had. Ze wilde dat haar vriendinnen zich hadden gehouden aan de afspraak om zonder date te gaan. Als ze de hele avond alleen geweest waren zoals nu, dan had ze misschien echt plezier gehad.

'Oké, wat gebeurt er allemaal?' vroeg Isabelle lachend.

Lane giechelde. 'Ik denk dat we een dronken Curtis zien die lekker bezig is,' zei ze, op de toon van een skater.

'Waarom heb ik geen videocamera bij me?' jammerde Vivi schaterend. 'Dit is geweldig chantagemateriaal.'

Plotseling sprong Curtis van de tafel en probeerde in de split te springen. Maar alleen zijn broek sprong in de split. Iedereen bulderde van het lachen en er werd nog harder gejuicht toen Curtis' gezicht paars werd.

'Dit is niet grappig!' schreeuwde hij, maar hij lachte ook. 'Dit is een huurbroek!'

Lane klapte dubbel van het lachen. Isabelle veegde de tranen uit haar ogen. Vivi keek naar hen en probeerde deze herinnering vast te leggen in haar geheugen. Haar enige leuke herinnering aan het eindexamengala.

'Meiden, dit is de beste avond ooit,' zei Isabelle met een tevreden zucht. Ze leunde achterover, terwijl ze probeerde te stoppen met lachen.

Ogenblikkelijk verstrakten Vivi's schouders. Ze kon aan Isabelles dromerige toon horen dat ze aan Jonathan zat te denken. Dat was het allerlaatste waar Vivi aan wilde denken.

Isabelle keek op en haar glimlach werd breder. 'En hij wordt nog beter.' Vivi's hart begon te bonken. Jonathan was net de kamer binnen gekomen en hij zigzagde naar hen toe. Isabelle worstelde om uit de diepe bank omhoog te komen en hij haastte zich om haar armen te pakken en haar te helpen. Izzy viel struikelend tegen hem aan en giechelde. Jonathan hield haar teder vast. Vivi had opeens de neiging om haar schoen uit te trekken en die naar zijn hoofd te gooien. Dat zou het eerste nuttige zijn wat die verhipte hoge hakken de hele avond voor haar gedaan hadden.

'Waar was je?' vroeg Isabelle. Ze keek knipperend tegen het licht naar hem op. 'Ik heb je gemist!'

'Ik heb jou ook gemist,' zei hij met een lage, sexy stem en hij streelde haar wang met zijn vingers. 'Kunnen we… misschien… even naar buiten?' vroeg hij. Hij keek Vivi en Lane aan alsof hij privacy wilde.

'Absoluut,' zei Isabelle met een glimlach.

Jonathan begaf zich naar de deur, maar Isabelle draaide zich snel om en glimlachte veelbetekenend.

Vivi's hart verwisselde van plaats met haar maag, wat geen prettig gevoel was. 'Denk je dat hij het met haar uit gaat maken of gaat hij haar vertellen dat hij van haar houdt?'

'Vivi, hij kan niet van haar houden. Hij kent haar nauwelijks,' zei Lane.

'Ja, maar ik ken hem ook nauwelijks en…'

Vivi hield nog net op tijd haar mond, voordat ze te veel gezegd had. Lane las haar gezicht echter als een open boek.

'Jemig. Vivi!' kreunde ze, omdat ze besefte wat Vivi bijna aan haar bekend had. 'Dit is net een Griekse tragedie!'

Vivi had het gevoel dat haar hart in elkaar zou schrompelen en sterven. Ze kon hier niet met deze emotie blijven zitten.

'Kom op.' Vivi stond van de bank op en pakte Lanes hand.

'Waar gaan we naartoe?' vroeg Lane met een angstig voorgevoel.

'Ik moet zien wat er gebeurt,' zei Vivi. Ze was in paniek. Ze kneep zo hard in Lanes hand dat het leek of hun huid versmolt.

'Oké, oké, we gaan,' antwoordde Lane.

Hand in hand haastten ze zich de woonkamer door en de voordeur uit. Tientallen jonge mensen hingen rond onder de sterrenhemel, terwijl ze van hun drankjes nipten of aan het vrijen waren onder en tegen de gigantische eikenbomen die langs de oprit stonden.

'Waar zijn ze?' siste Vivi.

'Daar,' fluisterde Lane en ze wees.

Isabelle en Jonathan stonden een paar meter verderop dicht tegen elkaar aan bij de fontein. Vivi had er alles voor over gehad als ze nu kon horen wat ze tegen elkaar zeiden, maar met het feestgedruis en het klaterende water had ze hen nooit kunnen afluisteren, tenzij ze erbovenop had gestaan.

'Hierheen.' Vivi trok Lane naar een van de zuilen bij de voordeur. Ze zette haar vriendin tegenover zich en probeerde ondertussen in de gaten te houden wat er gebeurde. 'Probeer het eruit te laten zien alsof we staan te kletsen.'

'Ooooké… Dus, die afschuwelijke zeemeermin-uit-de-heljurk van Kim Wolfe is echt niet te geloven, hè?' zei Lane, die duidelijk probeerde de stemming te verbeteren. Ze keek naar Izzy en Jonathan.

'Jeetje, ja. Jij ziet er honderd keer leuker uit dan zij,' zei Vivi snel. Ze moest zichzelf eraan herinneren dat ze moest blijven ademhalen.

'Meen je dat? Dank je,' zei Lane. 'Ik wou dat Curtis…'

'Wacht even,' zei Vivi en ze legde haar hand op Lanes arm om haar het zwijgen op te leggen.

Een eindje verderop werden Isabelles ogen zo groot als schoteltjes. Vivi was niet goed in liplezen, maar ze wist wel hoe het woord 'wat' eruitzag, en dat was wat Isabelle steeds weer zei. Jonathan stak zijn hand uit om over haar arm te aaien en Isabelle liet hem zijn gang gaan, maar daarna sloeg ze haar handen voor haar gezicht. Vivi's hart werd ijskoud.

'O. Jeetje. Is ze…' begon Lane.

'Ze huilt,' zei Vivi. 'O, nee toch! Ze staat te snikken!'

Jonathan zei smekend een paar woorden en Isabelle knikte snel, maar de tranen bleven stromen. En hoewel Vivi's hart naar haar vriendin uitging, kon ze er niets aan doen dat ze zich een klein beetje opgelucht voelde. Hij stond Isabelle niet te vertellen dat hij van haar hield. Er was nog een kans...

Jemig. Ik ben door en door slecht, dacht Vivi en ze werd er misselijk van.

'Dit is afschuwelijk,' zei Lane en ze wendde haar blik af. 'Ze dacht dat hij haar ging vertellen dat hij van haar houdt en in plaats daarvan maakt hij het uit.'

Vivi probeerde te slikken, maar dat lukte niet. Tranen vertroebelden haar uitzicht. Dit was fout. Het was zo ontzettend fout.

Op dat moment knuffelden Jonathan en Isabelle elkaar. Ze knuffelden een hele tijd. Izzy hield haar hoofd opzij en haar ogen stijf dicht.

Ten slotte maakte Jonathan zich los en veegde met zijn duim over Isabelles wang om haar tranen te drogen. Vivi had het gevoel dat haar eigen hart aan stukken gereten werd. Zijn aanraking was zo teder. Zo eerbiedig. Ze voelde zijn vingertoppen bijna op haar eigen huid.

'Ik kan dit niet aanzien,' zei Vivi en ze draaide zich om.

'Het is oké,' zei Lane. 'Ze staan weer te knuffelen.'

'Alweer?' De pijn was niet te verdragen.

'Ja, en nu gaat hij weg. Ze nemen afscheid. Dit is een goed teken, toch? Ik bedoel, min of meer,' zei Lane hoopvol.

Vivi's adem stokte in haar keel en ze keek weer in hun richting. Inderdaad, Jonathan liep achteruit de oprit af naar een taxi die aan het eind stond te wachten, langs alle slordig geparkeerde auto's. Hij bleef de hele weg naar Izzy kijken, die daar stond met schokkende schouders van het huilen.

Hij gaat weg. Het is voorbij. Vivi had het gevoel dat haar hart uit haar borstkas gerukt werd. Nu zie ik hem nooit meer, dacht ze. En ik kan niet eens afscheid nemen.

Op het allerlaatste moment keek Jonathan op. Hij keek Vivi

recht aan. Haar hart hield op met slaan. Ze had het zo nodig dat hij gewoon even naar haar zou knikken. Of zwaaien. Wat dan ook, om haar te laten zien dat hij nog om haar gaf. Maar hij keek omhoog naar het huis en Vivi wist ineens niet meer zeker of hij haar wel gezien had. Toen draaide hij zich om en was weg.

De tranen stroomden zomaar over haar wangen.

'Ze is alleen. Kom mee,' zei Lane tegen Vivi en ze pakte haar bij haar pols.

'Ik kan niet mee,' zei Vivi huilend.

Lane keek haar aan en haar mond viel open. 'Je huilt!'

'Nee hoor!' zei Vivi en ze veegde haar gezicht droog met haar handen. 'Het gaat prima.'

'Vivi…'

Vivi's hart brak door de meelevende klank in Lanes stem. En ze begon zomaar te ratelen. 'Het is alleen… jullie hadden gelijk. Ik duw jongens die ik echt aardig vind altijd bij me weg. Dat doe ik inderdaad! Omdat ze niet goed genoeg zijn of omdat ik er bang voor ben dat… dat ik de controle verlies of zo. Maar deze keer wás hij goed genoeg. Hij was zo ontzettend goed genoeg. En wat deed ik? Ik duwde hem niet alleen weg, maar ook nog recht in de armen van mijn beste vriendin!'

'O Vivi,' zei Lane. 'Het spijt me. Ik wilde geen gelijk hebben.' Ze stak haar armen uit en gaf Vivi een knuffel, en Vivi klampte zich aan haar vast en probeerde haar ademhaling weer onder controle te krijgen.

'Hij is weg,' zei ze. 'En hij haat me.'

'Vivi, het spijt me. Ik wéét dat dit verschrikkelijk voor je is. Maar we moeten nu met Isabelle praten,' zei Lane vastberaden en ze trok haar mee.

'Dat kan ik niet,' herhaalde Vivi en ze schudde haar hoofd, terwijl de tranen over haar wangen biggelden.

'Je móét,' zei Lane. 'Kom mee.'

Vivi haalde diep adem en knikte. Lane pakte haar hand en kneep erin, terwijl ze over de oprit liepen.

'Isabelle!' riep Lane. 'Isabelle. Wat is er gebeurd?'

'Meiden!' Isabelle wierp zich in Lanes armen. 'Hij is weg! Brandon is weg!'

Vivi wendde zich af en droogde haar gezicht. Ze ademde met diepe teugen in om zichzelf in bedwang te krijgen. Op dit moment moest ze sterk zijn. Voor Isabelle.

'Weg?' improviseerde Lane. 'O, je bedoelt dat hij naar huis gegaan is?'

'Nee. Ik bedoel dat hij weg is. Hij vertrekt morgenochtend naar een conservatorium in Parijs. Daar blijft hij de hele zomer,' zei Isabelle huilend. 'Dit is niet te geloven! Ik dacht dat we verkering zouden krijgen en hij maakte… hij maakte het gewoon uit!'

'Iz, ik vind het zo erg voor je,' zei Vivi. Ze had zich in haar hele leven nog niet zo rot gevoeld.

'Maar het is niet omdat hij je niet leuk vond,' zei Lane. 'Misschien is hij van mening dat relaties op afstand niet werken.'

Isabelles ogen werden groot. 'Dat is precies wat hij zei! En ik geloof dat hij gelijk heeft. Echt,' zei ze, terwijl ze wegliep en met het slot van haar tasje speelde. 'Ik wou alleen dat het niet zo'n pijn deed. Ik zie hem nooit meer!' jammerde ze, terwijl nieuwe tranen over haar wangen stroomden.

Ik weet hoe je je voelt, dacht Vivi.

'Kom eens hier,' zei ze tegen Isabelle. Ze knuffelde haar huilende vriendin en verborg haar eigen tranen achter Isabelles rug. 'Het is oké, Iz. Het komt goed. Er komt een tijd dat dit allemaal een vage herinnering is.'

Lane kwam naar hen toe en maakte er een groepsknuffel van. Ze legde haar hoofd op Vivi's schouder, alsof ze Vivi evenzeer troostte als Isabelle.

'Ik zal hem zo missen,' snufte Isabelle en ze legde haar kin op Vivi's schouder. 'Ik zal hem zo missen.'

Join the club, dacht Vivi en ze veegde een traan van haar eigen wang. Ze wist precies hoe Izzy zich voelde.

21

'Ongelooflijk dat Curtis uit zijn broek scheurde!' Vivi klapte dubbel van het lachen. Het was de volgende morgen en ze zat met Lane aan een tafeltje bij Lonnie. Overal om hen heen zaten klasgenoten met comfortabele joggingbroeken of spijkerbroeken aan van hun koffie te nippen en na te praten over de vorige avond. 'Ik vraag me af of het verhuurbedrijf hem wel terug wil nemen.'

Lane probeerde te lachen, maar kon het niet. Haar hart was veel te zwaar. 'Denk je dat ze verkering gekregen hebben?' vroeg ze.

Vivi trok haar wenkbrauwen op. 'Wie?'

'Curtis en Kim? Denk je dat ze, ehm, gevrijd hebben?' vroeg Lane. Ze schoof haar koffie heen en weer tussen haar handen.

'Ik dacht dat we afgesproken hadden om niet over deprimerende dingen te praten.' Vivi keek haar dreigend aan.

'Jeetje. Dus je denkt echt dat ze verkering hebben!' riep Lane uit.

'Eh, nee,' zei Vivi. 'Echt niet. Daar heeft Curtis een te goede smaak voor.'

'Hij heeft haar meegevraagd naar het gala, weet je nog?' merkte Lane op.

'Alleen omdat jij hem nog niet gevraagd had,' zei Vivi. 'Ik zei nog zo dat…'

'Doe dat alsjeblieft niet nu,' viel Lane haar in de rede. Haar schouders verstrakten. Ze kon er niet tegen om dat gesprek met Vivi te voeren. Ze wilde het vandaag luchthartig houden.

'Prima,' zei Vivi en ze sloeg haar ogen ten hemel. 'Waar blijft Isabelle?' Ze keek naar de deur. 'Die meid is anders nooit te laat.'

'Je denkt toch niet dat ze weer in haar joggingbroek rondhangt en junkfood zit te eten?' vroeg Lane voorzichtig.

Vivi snoof. 'Misschien is ze bij Shawn. Je weet wel, van de weeromstuit.'

Lane lachte om die suggestie, maar toen maakte ze oogcontact met Vivi en kreeg ze een knoop in haar maag. 'Dat zal toch niet waar zijn.'

Vivi verbleekte. 'Als alles wat we gedaan hebben haar rechtstreeks in Slettigs armen gedreven heeft…'

'We hadden het nooit moeten doen,' zei Lane met haar hoofd in haar handen. 'Ga maar na, het heeft een volkomen averechts effect gehad.'

'Hé! Het heeft geen averechts effect gehad,' zei Vivi zacht, terwijl ze zich over de tafel naar haar toeboog. 'De bedoeling was om haar ervan te weerhouden om met Shawn naar het gala te gaan en ze is niet met Shawn naar het gala geweest.'

'Ik dacht dat het de bedoeling was om te voorkomen dat haar hart opnieuw gebroken zou worden,' pareerde Lane. 'En in plaats daarvan hebben wíj het juist voor haar gebroken. En dat van jou ook, trouwens.'

Vivi leunde weer achterover. 'Mijn hart is niet gebroken,' zei ze ontwijkend. Ze pakte haar broodje en scheurde er met haar tanden een grote hap af. 'Dit ging niet om mij. Het ging om Isabelle,' zei ze met haar mond vol.

'Nu is het genoeg. Ik ga haar bellen,' zei Lane en ze dook in haar tas om naar haar telefoon te zoeken.

Op dat moment piepte Vivi's telefoon. 'Daar zul je haar hebben,' zei Vivi en ze pakte haar eigen telefoon uit de zak van haar dichtgeritste trui. Ze las de sms hardop voor.

'Ze zegt: "Jullie raden nooit waar ik ben",' zei Vivi fronsend.

Lane stond op en liet zich naast Vivi op de bank vallen om mee te kijken. Vivi typte terug.

```
VIVI: JE MOET BIJ LONNIE ZIJN!!!
ISABELLE: GEEN TIJD. GA NAAR PARIJS OM BRANDON TE
VERRASSEN. VLIEG OM 12U. BEN OP NEWARK AIRPORT.
HEB TICKETS GEKOCHT MET EXAMEN$$!
```

'Wat?' schreeuwde Vivi, waardoor Lonnies zaak voor de helft stilviel.

Het duizelde Lane en ze greep zich vast aan de zijkant van de tafel. 'Sms haar terug! Sms haar terug!'

Vivi typte fanatiek terug.

```
VIVI: NEE! JE MAG NIET NAAR PARIJS!
ISABELLE: NOOIT EERDER ZO'N GEVOEL! MOET GAAN.
SCHOOL OPGEZOCHT OP INTERNET. BEN DAAR VANAVOND
AL!
```

'Doe iets!' piepte Lane. 'Maakt niet uit wat!'

'Ik doe mijn best!' riep Vivi.

```
VIVI: STAP NIET IN DAT VLIEGTUIG!!!
ISABELLE: DIT IS WARE LIEFDE, VIV. RAAR MAAR
WAAR. MOET GAAN!
```

VIVI: NEE! STOP! MOETEN EERST PRATEN.
ISABELLE: JONGEN BIJ METAALDETECTOR MOET ME
CONTROLEREN. ZET TEL NU UIT. BEL JE ALS IK LAND.
DOEI!!

'Vivi! Wat moeten we doen?' gilde Lane. Haar hart bonkte zo hard dat het al het geluid bij Lonnie overstemde.

Vivi's ogen flitsten heen en weer zonder iets te zien. 'Ik… ik…'

'Dit kan niet waar zijn. Dit kan echt niet waar zijn,' raaskalde Lane. Ze stond op en begon naast de tafel te ijsberen, daarbij de verstoorde blikken van haar klasgenoten negerend. 'Besef je wat we net gedaan hebben? Onze beste vriendin stapt in een vliegtuig om achter een jongen aan te gaan die niet eens bestaat! Een jongen die wij verzonnen hebben! We móéten iets doen!'

Met trillende handen toetste Vivi een nummer in. 'Ik ga haar bellen.'

'Ze zei dat ze haar telefoon uit ging zetten!' zei Lane.

'Ik moet het proberen!' Vivi pakte haar haar en hield het uit haar gezicht. 'Neem op, verdorie! Neem op!'

Vivi keek omhoog naar Lane. 'Voicemail,' zei ze.

'Zeg iets!' droeg Lane haar op.

'Eh… Isabelle. Dit is Vivi. We hebben je sms gekregen. Je mag niet in dat vliegtuig stappen. Gewoon… wat je ook doet, stap niet in dat vliegtuig. Vertrouw me. Ik leg het later wel uit. Als je dit bericht ontvangt, bel me dan terug.'

Ze hing op.

'Dat was je grote bekentenis!?' snauwde Lane. 'Dat houdt haar echt niet tegen.'

Ze begon op haar eigen telefoon een nummer in te toetsen.

'Wat doe je?' vroeg Vivi.

'Ik bel Izzy's ouders,' zei Lane.

Vivi greep Lane bij haar arm. 'Wat? Nee. We kunnen het hun niet vertellen. Ze worden woest als ze erachter komen dat Izzy al haar examengeld heeft uitgegeven aan een reis die geen zin heeft!'

'Hun dochter staat op het punt om in een vliegtuig naar het buitenland te stappen,' zei Lane en ze wurmde zich los. 'Ik denk dat ze dat wat belangrijker zullen vinden.'

Vivi liet haar los. 'Goed punt.'

De telefoon ging over. En hij ging over. Toen hij opgenomen werd, hield Lane haar adem in. 'Hallo, u hebt de Hunters gebeld.'

'Verdorie!' Ze deed haar telefoon dicht. 'Ze zijn niet thuis.'

'Goed. Dat is dat.' Vivi sprong op en pakte haar tas. 'We gaan.'

'Waar gaan we naartoe?' vroeg Lane, die achter haar aan scharrelde.

'Naar het vliegveld,' zei Vivi. 'We moeten haar tegenhouden.'

'We komen nooit op tijd,' zei Lane. Ze haalde de sleutels van haar moeders auto uit haar zak.

Vivi draaide zich om en terwijl ze naar buiten liepen, griste ze de sleutels uit haar hand. 'In de Jaguar van je moeder, met mij achter het stuur? Ik zorg dat we er binnen twintig minuten zijn.'

Lane overwoog om te protesteren. Haar moeder zou gek worden als Lane Vivi liet rijden in haar Jaguar. Maar dat gaf niet. Dit was een noodgeval.

'Izzy, luister, ik vind het vreselijk om je dit te vertellen, maar Brandon bestaat niet echt,' ratelde Lane, terwijl ze minstens twintig meter achter Vivi door de mensenmassa op Newark Airport rende. Overal om hen heen stonden reizigers stil om naar hen te staren en ze was ervan overtuigd dat ze ieder moment opgepakt kon worden door de beveiligingsdienst van het vliegveld, maar het kon haar nauwelijks schelen. 'We hebben hem verzonnen. De jongen die je mee naar het gala nam heet Jonathan. Het spijt me echt. We wilden alleen dat je over Shawn heen kwam. Maar je moet niet in dat vliegtuig stappen. Hij is daar helemaal niet als je er aankomt, want hij bestaat niet echt! Alsjeblieft, Iz, bel me... bel me nou gewoon terug!'

Ze kwam glijdend tot stilstand naast Vivi en hapte naar adem. Vivi had alleen een beetje roze wangen, maar verder ging het prima met haar. De voordelen van in het hardloopteam zitten, nam Lane aan. Misschien had ze na de brugklas op voetbal moeten blijven, want ze had echt het gevoel dat ze op het punt stond om een hartaanval te krijgen.

'Wat is er?' vroeg ze aan Vivi, die compleet hulpeloos naar een televisiescherm vol met vluchtnummers en vertrektijden stond te kijken.

'We weten niet eens met welke luchtvaartmaatschappij ze vliegt,' zei Vivi toonloos. 'We weten niet welke gate, welk vluchtnummer. En zonder ticket komen we niet eens langs de beveiliging. Waar zat mijn verstand?'

'Nee,' zei Lane wanhopig. 'Je kunt nu niet opgeven. We zijn hier toch gekomen? En het is...' Ze keek op haar telefoon hoe laat het was. Op het scherm stond 12.02. 'Nee!' jammerde Lane.

'Wat? Wat is er?' vroeg Vivi.

'Het is al na twaalf uur!' schreeuwde Lane en ze liet haar de telefoon zien. 'Ze is weg! Ze is weg, Vivi!'

'Nee. Dat kan niet. Misschien heeft ze haar vlucht gemist!' zei Vivi hoopvol. 'Of misschien is hij vertraagd!' Haar ogen zochten opnieuw het scherm af.

'Wat? Met dit weer?' Lane wees naar het raam, waar niets anders te zien was dan blauwe lucht. 'Accepteer het maar, Vivi. Ze is weg. Lieve hemel. Lieve hemel. Hoe heb ik me ooit door je laten overhalen om hieraan mee te doen?'

'Wat?'

'Kijk niet zo onschuldig naar me!' schreeuwde Lane. 'Dit is allemaal jouw schuld!'

'Mijn schuld?' vroeg Vivi verontwaardigd. 'We hebben dit samen op ons geweten, Lane.'

'Alsjeblieft, zeg! Jij wist dat ik dit niet wilde! Ik heb wel duizend keer geprobeerd om je te smeken om hiervan af te zien. Maar nee-ee-ee! Jij moet altijd je zin hebben. Je bent zo'n controle… freak, dat je altijd alle beslissingen wilt nemen in andermans leven! Nou, kijk maar waar dat ons gebracht heeft, Vivi!' riep Lane en ze spreidde haar armen. 'We staan op een vliegveld en Isabelle zit in een vliegtuig naar een of ander rotland!'

'O, nu ben je opeens onschuldig, hè?' reageerde Vivi. 'Moet ik je eraan herinneren dat je gisteravond helemaal trots op jezelf was omdat je Jonathan had overgehaald om naar het gala te komen, nadat hij mij had laten stikken?'

Lanes gezicht betrok. Ze was er inderdaad nogal enthousiast over geweest – ze had het gevoel gehad dat ze misschien eens iets opgelost had, wat Vivi had laten mislukken. Maar dat was toen – toen Isabelle helemaal gelukkig aan het poseren was voor de galafoto's. Dit was nu – nu Isabelle naar een stewardess zat te kijken die de nooduitgangen stond aan te wijzen.

'Dat heeft er helemaal niets mee te maken,' zei ze.

'Nou, ik denk het wel!' riep Vivi. 'Als jij Jonathan niet had omgepraat om toch te komen, dan zouden we nu niet met de gebakken peren zitten.'

'Als ík hem niet had omgepraat om toch te komen?' riep Lane ongelovig uit. 'Jij dwong me om dat te doen! Ik had die avond met Curtis op een feest kunnen zijn en hem kunnen vragen met me naar het gala te gaan, maar in plaats daarvan smeekte je me om jouw probleem op te lossen en dat deed ik! Het draait altijd om jou!'

Vivi's mond viel een beetje open en Lane kreeg meteen een schuldgevoel, nu haar woorden in de lucht om hen heen nagalmden. Ze hadden een kleine menigte om zich heen verzameld en er stonden een paar studenten in de buurt die 'oooh' riepen bij haar steken onder water.

'O, meen je dat?' zei Vivi en ze kwam een stap dichter bij Lane staan. 'Nou, je hóéfde niet te gaan. Ik hield geen pistool tegen je hoofd. Zit het woord 'nee' eigenlijk wel in je woordenschat, watje?'

'Oooooh,' zeiden de jongens opnieuw in koor.

Lane kreeg een waas voor haar ogen. Vivi had haar op haar meest gevoelige plek geraakt. Waar al deze mensen bij waren. Op dat moment haatte ze haar. Haatte ze haar meer dan alles. Dit wás haar schuld. Dat wás zo. En niemand kon haar van iets anders overtuigen.

'Nu is het genoeg. Ik ga,' zei Lane en ze griste de sleutels uit Vivi's hand. Ze draaide zich om en beende weg.

'Waar ga je naartoe?' gilde Vivi haar achterna. 'Je kunt me hier niet achterlaten.'

Lane draaide zich om en schreeuwde: 'Ja, dat kan ik wel! Het is mijn auto!'

'Lane, dat meen je niet,' zei Vivi.

Lane stond stil en sloeg haar armen over elkaar. 'Prima, Vivi. Als jij een lift naar huis wilt, dan zul je me dat netjes moeten vragen.'

Vivi keek rond naar haar publiek en ze kreeg een kleur. Het was duidelijk dat ze zich rot schaamde. Maar er was geen andere oplossing. Deze ene keer had Lane de macht. Ze vermande zich. 'Goed, Lane. Mag ik alsjeblieft meerijden naar huis?'

'Ehm, daar moet ik even over nadenken,' zei Lane en ze legde bedachtzaam een vinger tegen haar kin. 'Nee!'

Daarop draaide Lane zich, tot grote vreugde van het applaudisserende publiek, om en beende ze naar de automatische schuifdeuren.

22

De adrenaline stroomde zo hard door Lanes aderen en tegelijkertijd was ze zo bang, dat ze het gevoel had dat ze gek werd.
Het duurde niet lang of ze trof zichzelf aan in haar eigen zonovergoten straat, terwijl ze geen idee had hoe ze daar gekomen
was. Ze was met haar moeders auto de snelweg op gegaan – nota
bene vanaf Newark Airport – en ze kon zich niet eens herinneren via welke wegen ze gereden had of welke afslagen ze genomen had.

Waarschijnlijk geen goed teken. Ze hoopte dat ze niemand
gesneden had en dat ze geen ongelukken veroorzaakt had. Dat
zou pas echt erg zijn.

Ze lachte zenuwachtig bij de gedachte dat ze misschien zonder het te weten een reeks van autowrakken had achtergelaten,
tot ze bij de bocht kwam waar het huis van Curtis als een baken
in de zon naast het hare stond.

'Ik heb een jongen verzonnen. Ik heb voor mijn beste vriendin een jongen verzonnen en daarna iemand ingehuurd die
speelde dat hij hem was en nu is ze op weg naar Frankrijk om bij
hem te zijn, maar hij is daar niet. Nee, echt niet! Hij is daar niet
omdat hij niet bestaat!'

Lane stopte op de oprit en haalde een paar keer diep adem, in een poging om zichzelf weer onder controle te krijgen.

'En ik heb mijn beste vriendin op haar donder gegeven! De enige vriendin die ik nog heb! Ik heb haar op haar donder gegeven, alleen maar omdat ze zichzelf is! Wie doet dat nu? Iemand die gek is, die doet dat,' zei ze en er drupte een traan uit haar ooghoek. 'Ik ben een gek die in zichzelf zit te schreeuwen en te huilen in haar moeders auto!'

Nasnikkend haalde ze een paar keer diep adem. Ze pakte een zakdoekje uit de doos die tussen de voorstoelen stond. Luidruchtig snoot ze haar neus en ze veegde haar ogen af.

'En ik heb jou gevraagd om met me naar het gala te gaan!' schreeuwde ze naar Curtis' huis. 'Heb je enig idee hoe moeilijk dat was?' huilde ze. 'Heb je ook maar enig flauw benul?'

Precies op dat moment schoof de deur van Curtis' garage open en kwam Curtis naar buiten, op zijn mountainbike. Hij zag er gelukkig en zorgeloos en aanbiddelijk uit in zijn zwarte korte broek en een oud verbleekt T-shirt van een of ander concert. Zonder na te denken stapte ze uit de auto en sloeg het portier dicht. Curtis schrok zo dat hij bijna van zijn fiets viel.

'Wauw. Je kunt ook even waarschuwen,' zei hij en hij ging weer rechtop staan.

Plotseling in vuur en vlam rende Lane haar tuin door. 'Ik moet je iets zeggen!' schreeuwde ze. Ze gilde bijna.

'Oké.' Curtis legde zijn fiets op de oprit. Hij zag er verbijsterd uit, maar dat kon Lane niet schelen. De woorden kwamen eraan en ze ging ze niet tegenhouden.

'Toen ik je die avond meevroeg naar het gala, wilde ik daar met jou heen,' zei ze, toen ze voor hem stond. 'Ik bedoel: ik wilde écht graag met jou. Niet als vrienden. Niet als een date uit medelijden en op het allerlaatste moment. Ik wilde er met jou naartoe. Om eerlijk te zijn heb ik er altijd al met jou naartoe gewild. En ik weet dat de kans bestaat dat ik je hiermee aan het schrikken maak, maar dat is wat ik voel. En ik heb er genoeg van om niet te zeggen wat ik voel!'

Ze stopte met praten en stak haar armen onder haar oksels. Ze hield haar trui stevig vast en ze ademde zwaar. Curtis staarde haar aan.

'Dus. Wat vind je daarvan?' vroeg Lane nerveus.

'Ik voel me een idioot,' zei Curtis en hij haalde zijn schouders op.

Lane knipperde met haar ogen. 'Oké.'

'Nee. Niet oké,' zei Curtis. 'Lane, ik wilde ook echt graag met jou naar het gala. Ik heb je wel honderd keer bijna gevraagd, maar ik durfde het steeds niet. Ik was bang dat je me zou uitlachen.'

'Nee,' zei Lane.

'Ja!'

'Ik was bang dat je míj zou uitlachen!' zei Lane. 'En toen vertelde je me dat er een meisje was in wie je geïnteresseerd was…'

'Er was ook een meisje in wie ik geïnteresseerd was. Dat was jij!' zei Curtis en hij stak zijn hand naar haar uit. 'Ik zei dat alleen omdat ik wilde zien hoe je zou reageren en je reageerde niet, dus ik dacht… je weet wel… dat je niet geïnteresseerd was. Maar zelfs daarna bleef ik situaties creëren waarbij ik je kon vragen. Zoals toen ik je vroeg om een smoking met me te gaan uitzoeken. Ik dacht dat dat een goede opening was, maar je zei nee.'

Lanes mond viel open. 'Nee.'

'En toen met het feest. Ik was van plan je daar te vragen…'

'Nee!'

'Dat blijf je maar zeggen,' zei Curtis grijnzend.

'Tja, ik weet niet wat ik anders moet zeggen!' flapte Lane eruit. 'Ik dacht dat je verliefd was op Kim Wolfe of zo.'

'Ik vroeg haar alleen maar omdat je me op het feest liet stikken,' zei Curtis tegen Lane. 'Ik had je die avond willen vragen, maar toen je niet eens thuis was, ging ik ervan uit dat het je niets kon schelen. Dus toen heb ik het eerste meisje dat ik zag gevraagd.'

'Nee.'

'Ja!'

'Dus je bent niet verliefd op haar?' vroeg Lane en haar stem begaf het bijna.

'Integendeel,' zei Curtis met een lach.

Hij kwam dichter bij haar staan. Zo dichtbij dat ze de gouden vlekjes in zijn ogen kon tellen. Lane keek naar de grond. Ze was plotseling verlegen, maar Curtis bukte om met zijn hoofd weer in haar gezichtsveld te komen. Hij glimlachte. En voor ze wist wat er gebeurde, raakten zijn lippen de hare. Hij legde zijn hand onder op haar rug. Met zijn andere hand trok hij haar dichter naar zich toe. Haar hart maakte een sprongetje toen ze zich volledig overgaf. Ze stond met Curtis te zoenen. Curtis stond met haar te zoenen.

Voordat ze zichzelf kon tegenhouden, begon ze te lachen.

'Wat is er?' vroeg Curtis met zijn ogen half dicht. 'Lach je me uit?'

'Wat? Nee! Nee. Ik lach je niet uit.' Lane was warm en gelukkig en ongelovig. 'Om deze dag. Ik lach om deze dag.'

'Dus het lag niet aan de zoen,' informeerde Curtis voor de zekerheid.

'Het lag niet aan de zoen, eerlijk niet. De zoen was goed. De zoen was geweldig, zelfs.'

Curtis ging rechtop staan, helemaal trots op zichzelf.

'Maar ik moet weg,' zei Lane en ze stapte achteruit. 'Kunnen we dit later doen?'

De tevredenheid verdween van Curtis' gezicht. 'Meen je dat?

We hebben al zo lang gewacht en nu wil je nog langer wachten?'

'Ik wil het niet, maar ik moet.' Lane beet op haar lip. 'Ik moet Vivi zoeken en mijn excuses aanbieden en daarna moet ik naar Isabelles huis om haar ouders te gaan vertellen dat ik hun dochter naar een ver land heb verscheept.'

'Pardon?' zei Curtis.

'Ik leg het je later wel uit,' zei Lane. 'Doei!'

Curtis hief zijn hand en zwaaide verdwaasd en Lane giechelde de hele weg naar Vivi's huis.

Vivi kwam net haar huis uit rennen met geld om de taxichauffeur te betalen, toen Lane langs de stoeprand parkeerde. Ze was verbaasd hoe opgelucht ze was om haar vriendin te zien. Na Lanes nooit eerder vertoonde woedeaanval op het vliegveld, dacht Vivi dat ze haar misschien wel nooit meer zou zien.

'Bedankt voor het wachten,' zei Vivi tegen de taxichauffeur en ze gaf hem een behoorlijk deel van het geld dat ze van Jonathan had teruggekregen. Wat ze, veronderstelde ze, nu weer aan hem moest betalen. Terwijl de taxi wegreed, draaide Vivi zich naar Lane om, die met een schaapachtige uitdrukking op haar gezicht op haar af kwam lopen.

'Moest je een taxi naar huis nemen?' vroeg Lane, terwijl ze op haar onderlip beet.

'Tja, ik moest wat,' zei Vivi en ze stak haar handen in de achterzakken van haar spijkerbroek. 'Lane, het spijt me zo! Ik had je geen watje mogen noemen.'

Lane glimlachte. 'Ik had je geen controlfreak moeten noemen...'

'Maar dat bén ik,' zei Vivi en ze haalde haar schouders op. 'We weten allemaal dat ik dat ben.'

'Ja, maar het was toch niet aardig om het te zeggen,' antwoordde Lane.

Plotseling volkomen uitgeput draaide Vivi zich om en ging kreunend op het gazon zitten. 'Dit is nu al een erg lange dag geweest.'

'Zeker weten,' zei Lane en ze ging naast haar zitten.

Vivi haalde diep adem en keek naar een pluk gras tussen haar knieën. Haar gezicht gloeide en haar hart deed pijn van angst. 'Deze keer heb ik er echt een zootje van gemaakt, hè?'

'Tja, het is de eerste keer dat een van je plannetjes intercontinentaal is geworden,' grapte Lane. Ze kneep één oog dicht tegen de zon, terwijl ze Vivi aankeek.

Vivi slaagde erin om te lachen. 'Ik heb er echt spijt van, Lane. Van alles. Ik weet niet wat ik met dit plan voor ogen had. Ik heb hoogstwaarschijnlijk een vlaag van verstandsverbijstering gehad.'

'Wees maar niet te hard voor jezelf. Ergens in al deze idioterie ben ik erin geslaagd om eindelijk met Curtis te zoenen,' zei Lane.

Vivi had het gevoel dat ze net in een heel snelle draaimolen had gezeten. 'Je hebt wát gedaan?'

Lane straalde. 'Ik ben net bij hem geweest. Ik heb hem verteld dat ik verliefd op hem ben. Hij heeft mij verteld dat hij verliefd op mij is. En toen hebben we gezoend.'

'Je meent het!' zei Vivi en ze gaf Lane met beide handen een duw. Lane zette zich met haar elleboog schrap en lachte. 'Ik wist het! Ik wist dat hij ook verliefd was op jou!'

'Het lijkt erop.' Lane bloosde als een gek.

'Hoe was het?' wilde Vivi weten en ze keek haar aan.

'Onvoorstelbaar. Perfect. Alles wat ik ooit gewild heb,' bevestigde Lane. Haar blauwe ogen straalden.

Voor het eerst in dagen voelde Vivi's hart vol. Ze voelde zich niet jaloers of schuldig of nerveus – gewoon vol blijdschap voor haar vriendin.

'Lane, ik vind het ontzettend fijn voor je,' zei ze en ze stak haar armen uit om haar een knuffel te geven.

'Ik ook,' zei Lane.

Toen ze uitgeknuffeld waren, plukte Lane aan een grassprietje bij haar heup. 'Ik wou dat het voor jou en Jonathan ook zo goed afgelopen was.'

Vivi zuchtte en ze kreeg weer een zwaar gevoel vanbinnen. 'Tja, dat had nooit wat kunnen worden.'

'Weet je dat zeker?' vroeg Lane. 'Misschien als je hem belt…?'

Zomaar ineens was Vivi's stress weer helemaal terug. 'Misschien, maar op dit moment hebben we grotere problemen om op te lossen.'

'Juist,' zei Lane en ze keek naar de overkant van de straat. 'Ik geloof dat ik daar niet aan probeerde te denken.'

'Kom op.' Vivi duwde zichzelf overeind en rukte daarna Lane aan haar pols omhoog. 'Laten we naar binnen gaan en bedenken wat we nu moeten doen.'

Lane haalde diep adem en blies die daarna weer uit. 'Dat lijkt me een goed plan.'

Terwijl ze het huis in liepen, probeerde Vivi naar de lichtpuntjes te kijken. Ze had in elk geval Lane nog. Ze stond hier niet alleen voor. Ook al voelde haar hart zich heel verlaten.

Een paar uur en veel uitstel later stonden Vivi en Lane voor de rode voordeur van Isabelles huis, niet in staat om zich te bewegen. Iedere keer dat Vivi er zelfs maar aan dacht om haar vinger uit te steken om aan te bellen, zonk de moed haar in de schoenen.

'Misschien hoeven we dit helemaal niet te doen,' zei ze. 'Ze moeten het weten, hè? Isabelle is niet gek. Die zou het haar ouders heus wel vertellen als ze met een vliegtuig wegging.'

'Dat kunnen we niet zomaar aannemen,' zei Lane vastberaden en het klonk alsof ze zichzelf evenzeer moest overtuigen als

Vivi. 'We moeten het zeker weten.'

'Waarom heeft ze nog niet gebeld?' Vivi keek op haar telefoon. Lane en zij hadden het uitgerekend. Als Isabelles vliegtuig inderdaad om twaalf uur vertrokken was, dan was ze nu al in Parijs. Deze hele situatie zou zo veel gemakkelijker zijn als Vivi Isabelles ouders kon vertellen dat ze van haar gehoord had en dat alles goed was. 'Misschien moeten we wachten tot ze belt.'

'Genoeg getreuzeld,' zei Lane.

Na die woorden stak ze haar hand uit en drukte op de bel. Vivi's maag maakte een duikeling.

'Wat doe je nou?' snauwde Vivi.

'De knoop doorhakken,' zei Lane.

Vivi sloot haar ogen met het gevoel dat ze boven op de hoogste heuvel in een achtbaan zat. Haar hart bonsde in haar keel. Haar maag bevond zich op de plek waar haar hart normaal gesproken zat. En ze moest ineens plassen zoals ze nog nooit eerder had moeten plassen. Ze hoorde voetstappen. Hoorde de deurknop omdraaien. Het was zover. Vluchten kon niet meer.

'Hé, hallo meisjes!' Isabelles moeder was een visioen van kalme, ongestoorde onwetendheid – met parels en gestreken katoen en een perfect gebit. Ze wist het dus nog niet. Ze wist nog helemaal niets. Vivi keek naar Lane. Lane zag eruit alsof ze er elk moment vandoor kon gaan. Vivi pakte haar hand.

'Hallo, mevrouw Hunter,' bracht ze er moeizaam uit.

'Kom binnen! Kom binnen!' zong mevrouw Hunter en ze deed de deur wijd open.

Vivi voelde Lane beven toen ze naar binnen liepen. Ze voelde zich als een gevangene die voor het vuurpeloton geleid werd. Wat ging mevrouw Hunter doen als ze erachter kwam? Zou ze gaan schreeuwen? Met dingen gooien? Flauwvallen? Zouden ze 112 moeten bellen?

'Isabelle is op dit moment niet thuis, maar jullie mogen met alle plezier in haar kamer op haar wachten,' zei Isabelles moeder.

Dan moeten we lang wachten, dacht Vivi.

'Eigenlijk, mevrouw Hunter, is er iets wat we u moeten vertellen,' begon Vivi. Ze hoopte tegen beter weten in dat dit niet zo slecht zou gaan als ze zich voorstelde.

'Wat is er, liefje?' vroeg Isabelles moeder met een glimlach.

Vivi keek Lane aan. Lane staarde Vivi aan. Er was geen zuurstof in de kamer. En ineens hoorde Vivi de woorden van haar lippen rollen.

'We deden het niet expres, mevrouw Hunter! Echt niet! We probeerden alleen te helpen!' flapte Vivi eruit.

'Wat deden jullie niet expres, Vivi?' vroeg mevrouw Hunter niet-begrijpend. 'Wat is er aan de hand?'

'Het gaat om Isabelle,' zei Lane. 'En Brandon. U herinnert zich Brandon wel, toch? Van gisteravond?'

Mevrouw Hunter sloeg haar armen over elkaar. Haar gezichtsuitdrukking werd bezorgd. 'Ja…'

'Hij bestaat niet!' zei Vivi. 'We hebben hem verzonnen!'

'Op MSN. We hebben hem op MSN verzonnen om Isabelle te helpen om over Shawn heen te komen,' zei Lane.

'We gaven hem een hond en een drumstel en boeken en films,' raaskalde Vivi.

'En toen lieten we Marshall met haar MSN'en, alsof hij hem was…'

'We wilden alleen maar dat Izzy over Shawn heen kwam! Dat was het enige! Maar toen wilde ze met Shawn naar het gala, dus…'

'Dus lieten we Marshall haar uitnodigen. Nou ja, Brandon. Nou ja, Marshall als Brandon,' ratelde Lane. 'Maar toen moesten we ook een échte Brandon hebben…'

'Dus toen hebben we er een ingehuurd,' zei Vivi en ze slikte moeizaam. 'We huurden een jongen van het Cranston College in en hij was superknap, hè? Was hij niet knap?'

Mevrouw Hunter stond haar aan te gapen.

'Dat doet niet ter zake, Vivi,' siste Lane.

'O ja, sorry,' zei Vivi verstoord.

'Meisjes, ook al ben ik nu al totaal verbijsterd, toch heb ik het idee dat jullie nog niet bij de kern van de zaak zijn aangekomen.' Mevrouw Hunter speelde nerveus met haar parels.

'We hadden Jonathan – dat is de jongen die deed alsof hij Brandon was – we hadden Jonathan de opdracht gegeven om het gisteravond met haar uit te maken en te zeggen dat hij naar Parijs ging,' zei Lane. 'We dachten dat dat niet mis kon gaan, begrijpt u? Niemand wil een relatie op afstand als hij achttien is, toch? Maar het probleem is… het probleem is…'

Vivi haalde diep adem en sloot haar ogen. In één snelle woordenstroom kwam alles eruit. 'Het probleem is dat Izzy op dit moment naar Parijs vliegt om hem te vinden!'

'Wat!?' gilde mevrouw Hunter.

'Alleen daar is hij niet! Hij bestaat niet eens!' Vivi kon niet meer ophouden. 'Izzy heeft al haar examengeld gebruikt om achter een jongen aan te gaan die wij bedacht hebben!'

'Mevrouw Hunter, het spijt ons zo ontzettend,' zei Lane beverig.

'Hoe konden jullie dit doen?' raasde mevrouw Hunter. 'Zit ze in een vliegtuig? Op dit moment? Naar Parijs!?'

'Mevrouw Hunter…'

'Praat even niet tegen me, Vivi Swayne,' zei mevrouw Hunter bits en ze stak haar vinger op.

Vivi deinsde achteruit alsof ze een klap in haar gezicht had gekregen. De brok in haar keel werd groter. 'Het spijt me.'

'O jeetje! Mijn liefje!' Mevrouw Hunter sloeg met wijd open ogen haar handen voor haar mond. 'Straks is ze helemaal alleen in een vreemd land!' Ze draaide zich om en haastte zich naar de keuken. Na een korte aarzeling volgden Vivi en Lane haar. Mevrouw Hunter greep haar tas en haar sleutels en keek in paniek om zich heen. 'Mijn paspoort! Ik heb mijn paspoort nodig!'

'Mevrouw Hunter, wat bent u aan het doen?' vroeg Lane.

'Ik moet achter haar aan! Ze is daar straks helemaal alleen!' riep mevrouw Hunter. 'Ik moet mijn paspoort vinden.' Ze draaide zich weer om, liep langs hen naar de trap en rende naar boven op haar niet-te-hoge hakken.

Vivi stond in de hal en hield met een hol gevoel vanbinnen de trapleuning stevig vast. Ze kreeg bijna geen lucht. 'O jee, nu haat ze ons,' zei ze en ze legde haar hand op haar borst. 'Kan dit nog slechter worden?'

Plotseling ging Vivi's mobiele telefoon. Trillend als een espenblad haalde ze hem tevoorschijn en ze zag Isabelles naam op het scherm. 'Het is Isabelle!'

Lane hapte naar lucht en kwam dicht bij haar staan om mee te luisteren.

'Izzy!' riep Vivi in de telefoon. Ze was nauwelijks in staat om hem met haar bevende handen vast te houden. 'Is alles goed met je? Wat ben je aan het doen? Je moeder is helemaal overstuur. Ze is onderweg naar Parijs om je op te halen!'

Totale stilte.

'Iz? Ben je daar?' jammerde Vivi wanhopig. 'Waar bén je?'

En toen werd er een hand op haar schouder gelegd. Vivi draaide zich razendsnel om en daar stond Isabelle, vlak voor haar neus.

23

'Wat... wat... wat?' Vivi kon niet voorbij dat ene woord komen.

'Izzy! Je bent hier!' Lane sloeg haar armen om Izzy's hals.

'Ik vind het ongelooflijk dat jullie losers serieus dachten dat ik voor een jongen, die ik nauwelijks ken, naar Frankrijk zou gaan,' zei Isabelle en over Lanes schouder glimlachte ze naar Vivi. Ze droeg een badpak en een korte broek van badstof en ze glansde alsof ze al de hele dag in de zon had gelegen.

'Maar... maar... ik...'

Isabelle maakte zich los uit Lanes omhelzing, deed haar telefoon omhoog en maakte een foto van Vivi's gezicht. 'Leuk. Dat moest ik even vastleggen voor het nageslacht.'

'Isabelle,' zei Vivi uiteindelijk. 'Wat gebeurt er allemaal?'

'Waarom loop je niet even mee naar buiten om zelf te kijken?' zei Isabelle en ze maakte een hoofdbeweging naar de achterkant van het huis.

Terwijl ze Isabelle door de keuken naar het terras achter het huis volgden, keek Vivi Lane aan. Lane keek net zo verbijsterd als Vivi zich voelde. Verbijsterd en opgelucht. Isabelle stapte naar buiten.

'Ze zijn er!' zong ze.

Verward liep Vivi naar buiten, de stralende zon tegemoet. Een ogenblik lang was ze verblind, maar ze zag wel twee figuren in ligstoelen aan de rand van het schitterende zwembad zitten. Twee schimmige figuren die heel langzaam scherp werden.

In een gekreukte korte broek en een cool t-shirt zat Marshall relaxed ijsthee te drinken en Jonathan zag er weer even perfect uit als altijd in zijn polo en zijn linnen broek. Hij was nu gladgeschoren en zijn haar zat weer keurig glad, in tegenstelling tot de verwarde Brandon-coupe.

'Dames!' zei Jonathan met een grijns. 'Hoe was Newark Airport?'

Vivi kon zich niet bewegen. Ze kon nauwelijks verwerken wat ze allemaal zag. Zelfs in haar verwarde toestand was Vivi extatisch omdat ze hem weer zag.

'Je herinnert je Jonathan nog wel, hè? Hij heeft voor mij nooit op een Brandon geleken,' zei Isabelle schouderophalend. 'Maar ja, hij is ook nooit een Brandon geweest.'

'Hoe lang weet je het al?' vroeg Vivi ten slotte.

'Sinds afgelopen weekend. De avond van onze eerste "date",' zei Isabelle zich verkneukelend en ze maakte met haar handen aanhalingstekens in de lucht.

'Dus deze hele week… deze hele week als jij aan het huilen was en zat te kniezen en meer van die dingen… Dat was allemaal schijn.'

'Ja. Wie had gedacht dat ik zo'n goede actrice was?' zei Isabelle zelfingenomen. 'En mijn moeder deed het net ook goed, vind je niet? Misschien is het een idee dat ze auditie doet voor het volgende theaterstuk van je moeder, Viv!'

'Ik denk dat ik moet gaan zitten,' zei Vivi en ze liet zich in een stoel bij de tafel vallen. Ze kon het niet bevatten. Ze was overtroefd. Door Isabelle nota bene – de persoon die het minst tot bedriegen in staat was van alle mensen die ze kende.

'Het was moeilijk, geloof me,' antwoordde Isabelle en ze ging ook zitten. 'Ik wilde jullie zó graag vertellen dat ik het wist. Maar het was veel leuker om jullie in verwarring te brengen.'

'Maar... maar hoe?' vroeg Vivi.

'Brandon en ik... nou ja, *Marshall* en ik waren die avond na onze date met elkaar aan het chatten en ik vroeg hem of hij wilde afsluiten, zodat hij vroeg naar bed kon gaan,' antwoordde Isabelle glimlachend. 'En hij vertelde me dat hij de nacht daarvoor als een blok geslapen had, zodat hij de hele nacht met me kon praten als ik dat wilde. Wat lief van hem was, maar duidelijk een leugen. Want tijdens onze date had *Jonathan* verteld dat hij tot vier uur wakker was gebleven om gitaar te spelen.'

Vivi's ogen spuwden vuur in de richting van Marshall, die een beetje onderuit ging zitten in zijn stoel en zijn ogen verborg achter een zonnebril.

'Dus na wat doordrammen over MSN kwam ik uiteindelijk achter zijn ware identiteit en hij verklapte alles van – Hoe noemden jullie het ook alweer? – Operatie Uitschakeling Slettig?'

Vivi keek pijnlijk getroffen. 'Klopt.'

'Hij heeft alles opgebiecht,' ging Isabelle verder. 'Toen heb ik besloten met mijn eigen plannetje te komen.'

'Dus toen belde ze jou,' zei Lane tegen Jonathan.

'Yep. Toen ik die avond thuiskwam van een bezoek aan mijn vriend, was er een berichtje van Izzy. Marshall had haar mijn nummer gegeven en ze belde me en vertelde dat ze alles wist en dat ze een plan had om jullie terug te pakken,' zei Jonathan. 'En, ik weet niet waarom, op dat moment vond ik jullie terugpakken om de een of andere reden een aantrekkelijk idee,' voegde hij eraan toe en hij grijnsde gemeen naar Vivi.

Vivi's hart bonkte als een gek. Wat betekent dit? wilde ze schreeuwen. Was al dat sentimentele gedoe tussen jou en Izzy gisteravond gewoon bedoeld om mij terug te pakken? Of zijn jullie daadwerkelijk verliefd op elkaar geworden tijdens het plannen van jullie wraak?

'Jeetje! Jullie gezichtsuitdrukking toen ik tegen jullie zei dat ik dacht dat hij tegen me ging zeggen dat hij van me hield!' zei Isabelle en ze begon te schateren. 'Dat was legendarisch! Ik wou dat ik dáár een foto van genomen had.'

'Dus je bent niet boos op ons?' vroeg Lane.

'Niet meer. Eerst wel. Ik was zo kwaad als de Graaf van Monte Cristo,' zei Isabelle. 'Maar nadat ik er met Jonathan en Marshall over gepraat had, klonk het alsof jullie je hart op de juiste plaats hadden. Want welke andere persoon heeft er vriendinnen die zo ver gaan om hun vriendin gelukkig te maken?'

'Ik kan er nog niet bij dat je ons liet geloven dat je naar Parijs ging,' zei Vivi lachend en ze sloeg haar ogen ten hemel. 'Dat was ontzettend niet cool.'

'Ja, en mij doen geloven dat ik een splinternieuwe vriend had, alleen maar om mij bij Shawn vandaan te houden? Ook niet cool,' zei Isabelle streng. Ze stond op en liep naar Vivi en Lane toe. 'Jullie hoeven mij niet te beschermen, oké? Ik kan heel goed voor mezelf zorgen.'

Vivi ging rechtop zitten. 'Ik...'

'Jij moet leren je mond te houden,' zei Isabelle stellig.

Vivi klapte haar mond weer dicht.

'En jij!' Isabelle draaide zich onverwacht om, met haar armen over elkaar. 'Je wilt toch niet beweren dat jij dit een goed idee vond?'

Lane keek Vivi aan. 'Ik... tja... nee.'

'Zeg, kom op, meid! Zeg op! Leer nu maar eens om voor jezelf op te komen, dan hadden we deze hele toestand kunnen vermijden!' plaagde Isabelle.

'O, ze heeft wel geleerd om voor zichzelf op te komen, geloof me,' zei Vivi trots.

'O ja?' Isabelle trok haar wenkbrauwen op.

'Ik heb haar min of meer achtergelaten op het vliegveld,' zei Lane schouderophalend.

'Dat meen je niet,' zei Isabelle en haar mond viel open.

'Yep,' zei Lane zelfingenomen.

'Wauw. Goed van je,' zei Isabelle en ze gaf Lane een high five. 'Jullie moeten me er een andere keer alles over vertellen.'

'Ik denk dat ik het verdiend had.' Vivi schudde glimlachend haar hoofd. 'Het spijt me heel erg, Izzy. Het ging helemaal mis.'

Isabelle glimlachte langzaam. 'Nou, niet helemáál mis,' zei ze. 'Dankzij jullie heb ik eindelijk iemand gevonden die om me geeft.' Ze liep langzaam om de tafel heen naar de ligstoelen. 'Iemand die echt naar me luistert en met me omgaat op een manier die ik verdien.'

Vivi's hart bonkte in haar keel. O, jee. Dus het was waar. Isabelle en Jonathan waren echt verliefd geworden. Ze kon zich alleen al de telefoontjes 's avonds laat voorstellen, als ze plannen aan het maken waren. Al het gefluister en het bedenken ervan. Dus al dat gedoe op het gala – de aanrakingen en de dromerige ogen en het op schoot zitten – het was allemaal echt geweest. Vivi ging sterven. Hier en nu.

'De perfecte jongen voor me,' zei Isabelle en ze bleef tussen de stoelen in staan.

En op dat moment stond Marshall op, nam Isabelle in zijn armen en zoende haar alsof er geen morgen meer zou komen.

'Marshall!' riep Vivi verbijsterd uit.

'Nee! Isabelle! Je kunt niet daten met Marshall! Hij is homo!' schreeuwde Lane.

'Wat?' riep Vivi. Ze sloeg haar handen voor haar gezicht. 'Oké, voelt het zo om een hartaanval te krijgen?'

Marshall maakte zich los van Isabelle en lachte. 'Lane, ik ben niet homofiel. Ik heb je onzin verkocht. Je betrapte me terwijl ik naar Isabelle stond te staren en ik moest je op een dwaalspoor brengen en daarom zei ik dat ik verliefd was op Jonathan.'

'Ik ga zo ontzettend schelden,' zei Vivi.

Isabelle lachte en knuffelde Marshall en daarna zoenden ze elkaar weer.

'Jakkes. Oké. Dit kan ik niet aanzien,' zei Vivi. 'Wat is er toch mis met jullie? Hier heb ik niet voor getekend!'

'Vivi,' zei Jonathan en hij hees zichzelf overeind.

'Ik bedoel: Isabelle en Marshall? Dit kan niet waar zijn,' ging Vivi verder.

Jonathan liep naar haar toe en stond voor haar stil. 'Vivi!'

'Wat?' riep ze ongeduldig.

'Hou nu eens even je mond,' zei hij.

Vivi's mond klapte dicht. Jonathans blauwe ogen sprankelden toen hij haar aankeek. 'Wat zei je net tegen me?' vroeg ze.

'Ik zei: hou je mond,' zei hij nogmaals. Toen stak hij zijn handen uit, pakte haar bij haar middel en trok haar naar zich toe. Verbaasd hapte Vivi naar adem. Toen zoende hij haar. Hij zoende haar totdat ze ergens buiten zichzelf zweefde – en alles losliet.

Toen hij haar eindelijk losliet, wilde ze maar één ding: hem weer naar zich toe trekken.

'Oké. Ik voel me hier nogal het vijfde wiel!' zei Lane met een lach. Ze draaide zich om en liep naar binnen. 'Ik haal even iets te drinken!'

'Dus ik heb je niet weggejaagd?' vroeg Vivi aan Jonathan.

Jonathan deed een stap achteruit, maar hield haar hand vast. 'Er is heel wat meer voor nodig om me weg te jagen dan één woedeaanval op een parkeerplaats,' zei hij en hij haalde mannelijk zijn schouders op. 'Ik heb er een paar dagen voor nodig gehad om me dat te realiseren.'

'Een paar dagen? Zeg maar gerust een week!'

'Tja, een jongen moet wel doen of hij moeilijk te krijgen is…' plaagde hij.

'Je bent een mispunt, weet je dat?'

'Nee, jij bent een mispunt.'

'Nee, jij bent het absoluut. Jij bent absoluut, absoluut…'

'Oké, dit kan nog dagen zo doorgaan. Ik heb een beter idee,' zei Jonathan.

Toen trok hij haar naar zich toe en deze keer was geen van beiden van plan de ander los te laten.

24

Een paar weken later zat Vivi met haar witte baret en mantel aan met de rest van haar klas in de zon en glimlachte naar Jonathan die in de zon op de eerste rij van de tribune zat. Naast haar zaten Lane en Curtis hand in hand. Op het geïmproviseerde podium in het midden van het voetbalveld van Westmont High beëindigde Isabelle net haar afscheidsrede. Vivi voelde zich alleen maar opgewonden en voldaan en trots. Het was een perfect moment.

'Felicitaties voor de eindexamenklas van Westmont High!' riep Isabelle.

Vivi sprong overeind en juichte mee met de rest van de klas en ze gooide haar baret in de lucht. Honderden witte en zwarte baretten zeilden omhoog in de wolkeloze blauwe lucht. En toen kwamen ze weer naar beneden.

'Bukken!' schreeuwde Curtis. En dat deden ze allemaal.

'Au!' zei Vivi lachend toen een harde hoek op haar rug terechtkwam.

'Die traditie moet afgeschaft worden,' antwoordde Lane hoofdschuddend.

'Hé jongens! We zijn geslaagd!' schreeuwde Vivi. Ze gaf haar vrienden een groepsknuffel, terwijl iedereen om hen heen elkaar high fives gaf en foto's nam.

'We zijn officieel vs!' juichte Curtis.

'Huh?' vroeg Vivi.

'Van school!' legde Curtis met een grijns uit.

'Ja en nu we vs zijn, wordt het misschien echt tijd dat je met die shit ophoudt,' zei Vivi.

'Waf waf, Vivi,' antwoordde Curtis.

'Bedoel je niet ww?' reageerde Vivi ad rem.

Curtis grinnikte. 'Je zei ww!'

'Hé luitjes?' zei Lane.

'Je bent zo'n… zo'n… jongen!' gaf Vivi als weerwoord.

'Hé! Het is je eindelijk opgevallen!' antwoordde Curtis. 'Gefeliciteerd.'

'Luitjes!' schreeuwde Lane.

'Wat is er?' vroeg Vivi.

'Waar is Isabelle?' Lane tuurde door de drukte om zich heen. Ouders en vrienden begonnen over het veld heen te krioelen om op de foto te gaan met de eindexamenleerlingen. 'We moeten een foto maken. Ze zou hier meteen naartoe komen.'

'Ik weet het niet,' zei Vivi en ze keek zoekend om zich heen. 'Ze is misschien gekidnapt door mensen die op de foto wilden met degene die de speech heeft gehouden.'

Jonathan kwam eraan en plantte een dikke zoen op Vivi's wang. 'Gefeliciteerd!' zei hij en hij overhandigde haar een groot boeket rozen.

'Dank je,' zei Vivi stralend. 'Maar waar is mijn echte cadeau?'

'Wat bedoel je?' plaagde Jonathan.

'Je hebt het beloofd! Je hebt me beloofd dat je zou vertellen hoe je aan dat litteken gekomen bent!' riep Vivi. 'Dus kom op. Vertel op. Voor de draad ermee!'

'Oké, goed, goed.' Jonathan draaide haar naar zich toe en sloeg een arm om haar middel. 'Ik heb dit litteken opgelopen...' zei hij en hij boog zich heel dicht naar haar toe, alsof hij een duister, tragisch geheim ging onthullen. 'Ik probeerde over een hindernis te springen met mijn driewieler, toen ik vier was.'

'Echt niet!' zei Vivi met een lach.

'Ik zei toch al dat ik een ruige jongen ben?' zei hij en hij haalde zorgeloos zijn schouders op.

Vivi lachte en ging op haar tenen staan om hem een kus te geven. 'Dat is het schattigste, zieligste wat ik ooit gehoord heb.'

'Ik weet het,' zei hij met een grijns.

'Oké, waar is Isabelle?' vroeg Lane, die gefrustreerd begon te raken.

Plotseling piepte Vivi's telefoon. Ze tilde haar examenmantel op en tastte rond in de lagen stof totdat ze bij de zak van haar korte broek kon. Toen ze haar mobieltje tevoorschijn haalde, zag ze dat er een berichtje was.

'Het is van haar. Hoezo, wat...?' zei Vivi.

Lane, Curtis en Jonathan kwamen allemaal om haar heen staan toen ze het las.

ISABELLE: RAAD EENS WAAR IK BEN. EN NEE. NIET BIJ
SHAWN.
VIVI: DAT IS MAAR GOED OOK. JE ZOU M'S HART
BREKEN!
ISABELLE: IK BEN OP NEWARK AIRPORT.

'Ze is zo grappig. Echt,' zei Curtis ad rem.

VIVI: HEEL GRAPPIG!
ISABELLE: OK. NOG NIET. MAAR ONZE VLUCHT

VERTREKT OVER 4U. JIJ, IK, LANE GAAN NAAR PARIJS. GA INPAKKEN!!! GEFELICITEERD!

'Wat?' riep Vivi verbijsterd.

'Ja, wat? En ik dan?' deed Curtis een duit in het zakje.

'Dat meent ze niet.' Lane pakte Vivi de telefoon af.

'Hé, dat is mijn telefoon!' protesteerde Vivi.

'Aan de kant, Vivi!' antwoordde Lane.

'Wauw. Ze wordt hier goed in.' Jonathan kneep Vivi even terwijl Lane terug sms'te. Vivi glimlachte. Eerlijk gezegd was ze tamelijk trots op Lanes pas ontdekte lef.

VIVI: HIER LANE. MEEN JE HET?
ISABELLE: HELEMAAL! HERINNER JE EXAMENGELD?
OPSCHIETEN NU! OVER 1U BIJ MIJ THUIS. VERGEET
PASPOORT NIET!!

Lane klapte de telefoon dicht en keek Vivi stomverbaasd aan. 'We gaan naar Parijs!'

Vivi's hart maakte een rondedansje van opwinding. 'We gaan naar Parijs!'

Ze pakte Lanes hand en ze sprongen vrolijk gillend op en neer. 'Kom op! We gaan inpakken!' riep Lane uit en ze kneep in Vivi's vingers, terwijl ze door de massa begonnen te navigeren.

'Eh, dames?' riep Jonathan hen achterna, terwijl hij zijn keel schraapte.

Vivi en Lane draaiden zich om. Jonathan en Curtis stonden hen verloren aan te kijken. 'Ja?'

'En wij dan?' vroeg Curtis en hij stak zijn handen op.

Vivi keek Lane aan en grinnikte. 'Tja, jullie zullen gewoon naar ons moeten smachten tot we terug zijn,' riep Lane.

'Tenzij jullie natuurlijk in een vliegtuig springen en ons achterna komen, maar dat is jullie beslissing!' voegde Vivi eraan toe. 'Ik heb afgeleerd om mensen te vertellen wat ze moeten doen.'

En daarmee rende ze hand in hand met Lane weg, om Izzy op te halen.

Woord van dank

Een speciaal woord van dank aan Katie McConnaughey, Emily Meehan, Josh Bank, Lynn Weingarten en Courtney Bongiolatti voor hun geduld en hulp bij het in de juiste richting krijgen van deze roman. Jullie weten allemaal dat ik het niet zonder jullie had kunnen doen!